À bout de course

Titre original
The Hardy Boys : Undercover Brothers
 # 2 Running on Fumes

ISBN 13 : 978-2-7470-2482-2
Dépôt légal : janvier 2009
Loi n° 49 956 du 16 juillet 1949
sur les publications destinées à la jeunesse.

Franklin W. Dixon

À bout de course

Traduit de l'anglais (États-Unis)
par Anna Buresi

BAYARD JEUNESSE

1. Se crasher ou cramer

Je saisis la chaise la plus proche et la projetai contre l'immcnsc baic vitrée. Rien. Pas même une fêlure.

– C'est du verre de sécurité, dis-je à Frank.

– Normal, dans un immeuble de bureaux. Surtout au vingt et unième étage, répondit mon frère sans lever les yeux de l'écran d'ordinateur.

Ses doigts volaient sur le clavier.

Je repris la chaise et l'abattis encore contre la vitre : *baoum ! baoum ! baoum !* La violence de l'impact se faisait sentir tout le long de mes bras, jusqu'aux épaules.

L'odeur de fumée devenait de plus en plus

âcre. Nous devions absolument sortir d'ici ! L'étage était bouclé ; les portes donnant dans l'escalier, verrouillées à double tour ; les ascenseurs, hors service – mais qui irait vous recommander de prendre l'ascenseur pendant un incendie ?

On voulait notre mort.

– Tu vas te casser, oui, saleté de vitre ! Brise-toi, bon sang !

Je balançai la chaise comme une batte, et comme si je voulais expédier la balle hors du stade.

« Aaaaah ! » Enfin, une fêlure fine comme un cheveu apparut sur la vitre. Je martelai l'endroit affaibli. Quel plaisir d'entendre craquer le verre sous les coups !

– Frank… on a une issue de secours, dis-je en passant la tête par la brèche.

J'en eus l'estomac tout retourné. Cent bons mètres nous séparaient du sol en contrebas. Et croyez-moi, cent mètres d'à-pic perpendiculaire, c'est une sacrée distance !

– Tu as pensé aux parachutes, hein ? demandai-je.

Frank grogna. Il n'apprécie pas mon humour. Parce qu'il n'en a aucun, pardi !

– Bon, OK…, il nous faut une corde, marmonnai-je.

Nous en aurions besoin, pour descendre en

rappel le long de la façade ! L'ennui, c'est qu'il n'y en a pas, en général, dans le cabinet d'un avocat en vue – et totalement ripou. Je balayai la pièce du regard : qu'est-ce qui pouvait en tenir lieu ? Les fils des deux lampadaires, peut-être ? Je raflai l'ouvre-lettres sur le massif bureau en bois et tailladai le fil le plus proche.

La fumée commençait à ramper par-dessous la porte. Il ne nous restait pas beaucoup de temps ! Pourquoi ce fichu cabinet n'avait-il pas des portes en acier, comme l'escalier ?

– Ça avance ? demandai-je à Frank alors que je m'attaquais au deuxième fil électrique.

– Jamais rencontré un pare-feu pareil. La classe, répondit mon frère, les yeux toujours braqués sur l'écran, les doigts cliquetant sur les touches.

– Moi, j'aimerais en trouver un contre l'incendie qui fait rage de l'autre côté de cette porte ! répliquai-je.

– Il faut que j'arrive à le franchir. Sinon…

Frank n'acheva pas. Mais je savais ce qui se produirait s'il n'arrivait pas à déjouer le pare-feu pour accéder à la liste des témoins.

« Laisse les témoins à Frank, et occupe-toi plutôt de vous sortir d'ici sains et saufs », m'intimai-je.

À l'aide d'un nœud marin, je reliai les fils

électriques. Leur longueur totale nous permettrait de descendre un étage et demi. Il en resterait donc encore dix-neuf et demi.

Rectification : vingt et demi. J'oubliais le rez-de-chaussée.

J'arrachai le câble du téléphone. De toute façon, l'appareil était HS. Un rouage de plus de la machination « mort-à-Frank-et-Joe-Hardy ». Il faut dire que ça n'aurait pas été très malin de nous piéger dans un immeuble en flammes si nous pouvions alerter les pompiers.

J'arpentai la pièce en tirant sur le fil pour le libérer des agrafes qui le rivaient au mur. « Quelques étages de gagnés », pensai-je, ajoutant ce fil à ma « corde ».

Je pouvais aussi utiliser les câbles de l'ordinateur, mais seulement lorsque Frank aurait fini. Et même après, ça ne suffirait pas. Quoi d'autre ? Quoi encore ?

Un tapis recouvrait le parquet ciré. Parfait ! Mais, pour le découper en bandes à l'aide d'un ouvre-lettres, il me faudrait des heures...

Hé, minute, je venais de fracasser une vitre, non ? Il y avait des éclats de verre partout ! J'en pris un et, avec, m'attaquai au tapis. Par chance, il n'était pas épais.

La fumée aurait dû m'épargner, puisque j'opérais au ras du sol, non ? Pensez-vous. Pas moyen d'y échapper. En quelques secondes, j'eus les yeux larmoyants. Chaque fois que j'inspirais, j'avais l'impression d'avaler du papier émeri.

J'arrachai ma chemise et me redressai. J'avais repéré un mini réfrigérateur, la première fois que j'avais rendu visite à Frank pendant son job. C'était sa couverture : stagiaire dans ce cabinet d'avocats. Moi, j'avais le rôle du frère enquiquinant du lycéen stagiaire.

Je me ruai vers le frigo, et y pris deux bouteilles d'eau.

– Frank ! Attrape !

Je lui expédiai une bouteille, déversai l'autre sur ma chemise. Me servant des manches comme lien, je nouai le vêtement mouillé devant mon visage avant de me remettre à l'œuvre.

J'attachai les unes aux autres les bandes de tapis, aussi vite que je pus. Puis je les reliai à la corde.

Toujours pas suffisant. J'ajoutai des lanières de rideaux.

La fumée était devenue aussi dense qu'un brouillard. Un brouillard teinté d'orange : les flammes dévoraient la porte. D'une seconde à l'autre, elles gagneraient le plafond.

– Ça y est ! cria Frank, d'une voix étouffée

par la chemise détrempée plaquée sur son nez et sa bouche. Je n'ai plus qu'à copier la liste !

Il appuya sur quelques touches, le fichier commença à se charger sur un CD.

Je nouai une extrémité de ma corde improvisée à un pied du bureau.

– Rien ne peut servir de grappin, ici, fis-je – je n'allais sûrement pas obtenir des crochets solides avec des trombones ! Il va falloir descendre en rappel. Méthode dulfersitz.

Chargement terminé, annonça l'ordinateur.

Une seconde plus tard, Frank tenait le CD. J'ajoutai à ma corde tous les câbles de l'ordinateur. Je n'étais toujours pas sûr qu'elle était assez longue pour nous amener au sol.

– On y va, on y va ! ordonna Frank.

Inutile de me le dire deux fois ! J'enroulai la corde autour de moi, la passant sous mes fesses ; dans la technique dulfersitz, *sitz* signifie qu'on « s'assied » sur la corde.

Prenant une profonde inspiration, je fis volte-face et enjambai la fenêtre.

À cette hauteur, le vent soufflait fort et me balançait vers la gauche. Je réussis à prendre appui contre la façade avec mes pieds, et commençai à descendre – du fil téléphonique aux lanières de tapis, puis de rideau, et des câbles d'ordinateur à...

À rien de rien !

Plus de corde. Et mes pieds n'avaient toujours pas touché le trottoir. Je tordis le cou, pour essayer de voir le sol.

– Joe ! Saute ! cria Frank.

Je levai les yeux et constatai que la partie en tissu de la corde commençait à s'enflammer au-dessus des mains de mon frère. Frank avait besoin que je libère la voie. Illico.

Je fermai les yeux et lâchai prise.

Frank

2. Coup fatal

– Gloire du matin, bonjour ! C'est l'heure !

Je roulai sur moi-même et consultai mon réveil.

– Il me reste trois minutes ! lançai-je à tante Trudy.

Je voulais profiter de chaque seconde de rab.

Tante Trudy poussa la porte de ma chambre et entra :

– Je ne te permettrai pas d'être en retard le jour des examens de dernière année, Frank ! Tiens-le-toi pour dit !

Je connaissais la chanson. Si je ne me levais pas en vitesse, tante Trudy arracherait les couvertures. Et, si ça ne suffisait toujours pas à me remuer, elle me déverserait un verre d'eau sur la tête.

– Bon, bon, OK, je me lève.

Je bondis sur mes pieds. Mis à part que j'étais vraiment à court de sommeil et que j'avais la gorge toute desséchée par la fumée, j'étais en pleine forme.

Tante Trudy hocha la tête d'un air approbateur.

– Et ne va pas te recoucher ! m'avertit-elle en ressortant.

Quelquefois, elle s'imagine que j'ai cinq ans ! Mais je reconnais que c'était drôlement tentant de se fourrer de nouveau sous les couvertures.

Au lieu de le faire, j'enfilai mon jean et une chemise propre, puis je traversai le couloir. Je ne pus m'empêcher de rigoler en apercevant Joe dans l'escalier. Ses cheveux blonds étaient trempés, plaqués sur son crâne. Tante Trudy ne l'avait pas loupé !

En plus, il boitait.

– Hé, ça va ? lui demandai-je en le rattrapant.

– À merveille, vu que je me suis écrasé sur le trottoir, et que je t'ai reçu sur le dos pardessus le marché, répondit-il.

Il avait pris soin de baisser la voix. Tante

Trudy et notre mère ignorent tout des missions que Joe et moi menons pour ATAC – American Teens Against Crime. Elles n'ont jamais entendu parler de cette organisation. Même si c'est notre père qui l'a fondée.

ATAC est top secret. Cette équipe a été formée parce que des ados peuvent s'introduire dans des lieux inaccessibles aux adultes, sans qu'on les mitraille de questions. Cela cesserait d'être vrai si tout le monde savait que des jeunes luttent contre le crime.

Chargés de nos sacs à dos, nous franchîmes le seuil, et faillîmes marcher sur maman. Elle avait étalé toute une ribambelle de saletés sur la véranda.

Enfin, moi, j'appelle ça des saletés. Pour maman, c'est un trésor.

– Attention ! s'écria-t-elle en désignant deux piles de rebuts. Je viens juste de trier l'alu et le fer-blanc !

– Qu'est-ce qui t'oblige à les séparer ? demanda Joe. Pour l'usine de recyclage, tous les métaux se valent.

– Oui, mais c'est pour le programme pédagogique à la bibliothèque, expliqua maman. Les petits vont fabriquer des photophores avec les boîtes de conserve. Le recyclage, ça ne consiste pas seulement à faire du tri sélectif. Par exemple, je mets de côté les bouchons de liège pour confectionner un panneau d'affichage.

Elle désigna une autre pile :

– Et avec ces boîtes à CD je pense réaliser des cadres.

– Joyeux Noël ! cria Playback, notre perroquet, du haut de son perchoir au soleil. Ho, ho, ho !

– Hé, on est en juin ! lui dis-je.

Il m'ignora.

– Attention à ne pas lui donner de drôles d'idées ! lui lança Joe, hilare, en désignant maman.

– Ho, ho, ho ! répéta Playback.

Saisissant. On aurait cru entendre tante Trudy. Elle avait passé des semaines à ho-ho-hoer. Ce satané perroquet peut imiter ce qu'il veut. Si vous entendiez sa simulation de la sonnette d'entrée !

Maman lui répliqua :

– Entendu, pas de cadres de récup' pour Joe à Noël prochain. Si je lui offrais une corbeille à papier en boîtes d'œufs ?

Joe poussa un gémissement. Maman se mit à rire.

– On y va ! dis-je à mon frère.

Nous commençâmes à contourner les piles pour gagner les marches du perron.

Un cri aigu troua l'air – et il ne venait pas de Playback. Tante Trudy se rua à travers le porche, renversant les boîtes de conserve, qui se déversèrent dans l'amas d'alu usagé.

– Je n'arrive pas à croire que je vous aie laissés dormir si tard ! Et que vous n'avez pas le temps de déjeuner ! Le jour des examens, en plus ! s'exclama-t-elle en nous fourrant dans les mains des boissons vitaminées. Buvez un peu, au moins. On ne pense pas clairement lorsqu'on est déshydraté. Je l'ai encore dit à votre père, ce matin, mais vous croyez qu'il m'écoute ?

– Tiens, au fait, où est papa ? s'enquit Joe.

Moi, j'avalai une gorgée de liquide, histoire de calmer tante Trudy.

– À un de ses petits déjeuners avec les anciens de la police, répondit maman, qui remettait de l'ordre dans ses piles.

– Un breakfast ! Pff ! fit tante Trudy. Des beignets et du café noir dans une gargote aux tables graisseuses, oui ! Ah, il est beau, le petit déjeuner !

À mon avis, ce n'était pas ça. En général, papa prétend qu'il va retrouver des amis de la police lorsqu'il opère pour ATAC. Il serait déçu de ne pas connaître les détails de notre mission au plus vite, c'est sûr.

– Mais buvez donc ! insista tante Trudy.

J'avalai une grande gorgée qui avait un goût de fumée. Combien de temps cela allait-il durer ?

– Trudy a raison, approuva maman. Le corps a besoin d'eau pour véhiculer les hormones, les messagers chimiques et les nutriments. Savez-vous que le cerveau est constitué de quatre-vingt-cinq pour cent d'eau ?

Vous avez deviné que maman est bibliothécaire-documentaliste, non ?

– En cas de déshydratation prolongée, les cellules du cerveau se mettent réellement à rétrécir, ajouta-t-elle.

J'avalai le reste de ma bouteille, Joe vida la sienne en glougloutant.

– Merci, tantine ! lança-t-il. Maintenant, mes cellules cérébrales sont bien nourries, et prêtes à attaquer l'examen !

Tante Trudy rayonna.

– À plus ! lançai-je par-dessus mon épaule.

– Poules mouillées ! Poules mouillées ! cria Playback en guise d'adieu.

Sûrement un truc qu'il tenait de son ancien propriétaire. Rien à voir avec Joe et moi !

Parce que vous en connaissez, vous, des poules mouillées qui roulent à moto ? Des motos avec embrayage hydraulique ; suspension optimisée ; phares antibrouillard avec protecteurs en flint-glass ; feux de détresse ; lecteur CD et radio CB.

Je me disais bien que non !

Joe et moi enfourchâmes nos engins et partîmes en trombe vers le lycée. Enfin, en trombe à la vitesse autorisée. Juste pour votre information : les jeunes motards sont la cible préférée des agents de la circulation.

– Tu as vu ce que je vois ? Je n'aime pas ça, dit Joe alors que nous nous garions sur le parking du lycée.

Je suivis la direction de son regard. La scène ne me plut pas non plus. Brian Conrad s'adressait à notre ami Chet Morton.

Or, les types comme Brian ne parlent jamais aux garçons comme Chet. Les types comme Brian insultent les garçons comme Chet. Ils les rudoient. Ils leur flanquent des coups.

Mais leur parler ? Ça, non.

Je me hâtai de rejoindre le duo, Joe sur mes talons. Nous arrivâmes à point pour entendre :

– J'ai vu que tu regardais ma sœur.

Brian disait ça pile sous le nez de Chet, qui était blanc comme un linge.

Chet est un garçon génial. Mais il n'a pas encore compris qu'il n'y a qu'un moyen de traiter avec les Brian de ce monde : ne manifester aucune peur.

– Belinda n'est pas du tout le genre de Chet, glissa Joe.

Brian tourna vivement la tête vers lui :

– Ma sœur n'est pas assez bien pour ce minable, c'est ça ?

Chet saisit l'occasion pour s'écarter de Brian – et se rapprocher de nous. Joe déclara :

– En plus, Belinda est raide dingue de mon frère.

Une onde de chaleur monta le long de mon cou. « Ah, non, je ne vais pas rougir ! Pas ça ! » Je n'arrivais pas à penser autre chose. « Ah, non, pas ça ! »

En fait, voilà, j'ai un petit problème. Devant une fille, je deviens débile. Surtout si elle est aussi sexy que Belinda. Il me suffisait d'entendre Joe nous « marier », elle et moi pour... Il n'y a rien de plus nul que de rougir, franchement !

– Ça me dépasse, d'ailleurs, ajouta Joe. Tout le monde reconnaît que c'est moi le plus beau !

La cloche sonna.

– Je ne veux pas qu'un de vous tourne autour de Belinda ! déclara Brian.

Il nous toisa tour à tour, d'un air qui se voulait glacial. C'est sur moi que son regard s'attarda le plus longtemps.

Comme si j'étais du genre à *envisager* de parler à Belinda ! Pas parce que j'ai peur de

Brian ; parce que j'ai peur de me ridiculiser à mort.

Je soutins le regard de cet abruti. Il tourna les talons.

– Tu as vraiment maté Belinda ? demanda Joe à Chet alors que nous entrions au lycée.

– C'est *elle* qui m'a lorgné ! Moi, je me tenais juste là, c'est tout.

Chet fit mine de gonfler ses biceps – comme s'il avait des muscles !

« Tu m'en diras tant », pensai-je. Chet est un ami, mais quelquefois je le trouve vraiment nul. Maintenant qu'il était seul avec Joe et moi, il roulait des mécaniques. Mais il ne pouvait s'empêcher de regarder par-dessus son épaule, pour être sûr que Brian n'était pas à portée d'oreille.

Nous arrivions devant ma salle de cours.

– On se retrouve à midi ! dis-je.

Chimie. Premier examen de dernière année. Rien de bien difficile – pas avec mon cerveau super bien hydraté. Ce qui était une veine, parce qu'on n'avait pas étudié beaucoup, la nuit dernière.

On avait raconté à maman et à tante Trudy qu'on arrivait très tard à la maison parce qu'on avait passé la soirée à bosser chez Chet. Mais, en fait, on n'avait pas révisé du tout.

J'eus plus de peine en littérature anglaise. Uniquement parce que, dans ce cours, je suis à côté de Belinda. Ça me distrait pas mal.

Ensuite, éducation physique. Sympa, la pause dans le travail intellectuel ! J'avais hâte d'en profiter... jusqu'à ce que j'apprenne qu'on aurait escrime. Qui M. Zwick désigna-t-il pour être mon partenaire ?

Eh oui. Brian Conrad.

J'abaissai mon masque. Nous nous plaçâmes face à face.

– N'oublie pas mon avertissement de ce matin, Hardy ! lança Brian.

Il poussa une botte dans ma direction avec son fleuret. Déjà à l'assaut.

Je parai. À mon tour, maintenant.

– Tu n'as pas remarqué que les forts en gueule ne passent jamais à l'action ? fis-je.

Je ripostai, et l'atteignis au bras. Ça comptait pour des prunes. Pour marquer un point, en escrime, il faut toucher le torse de son adversaire avec la pointe du fleuret. Atteindre la tête ou les bras ne rapporte rien.

Brian ironisa :

– Si ma sœur te voyait, elle cesserait d'avoir le béguin pour toi. Elle craque pour les vrais sportifs !

Je ne me donnai pas la peine de répliquer.

Brian me porta une nouvelle attaque. Je parai, puis poussai une pointe. Il arrêta le coup.

Nous tournâmes l'un autour de l'autre dans un cliquetis de fleurets. Une coulée de sueur roula le long de mon dos, le bruit du métal contre le métal m'emplissait les oreilles. Je voyais, à travers la double paroi – celles de son masque et du mien – qu'il gardait les yeux rivés sur moi.

Soudain, son regard se porta brièvement sur la gauche. Sûr qu'il frapperait de ce côté, je brandis mon fleuret dans cette direction.

Mais il amena la pointe de son fleuret contre mon cœur.

– Dans un vrai duel, tu serais mort, laissa-t-il tomber. Cette lame t'aurait transpercé le cœur.

Puis il fit volte-face et me planta là.

Ses paroles me hantaient encore à l'heure du déjeuner, lorsque je retrouvai Joe au vestiaire. « Dans un vrai duel, tu serais mort. »

Brian avait raison : si nos fleurets n'avaient pas été mouchetés… si je n'avais pas eu de protections… si je n'avais pas affronté un ado dans un gymnase mais un autre adversaire… je serais mort, en ce moment.

J'aurais échoué.

J'ouvris mon cadenas à combinaison. La

voix de Brian continua de résonner dans mon crâne : « Cette lame t'aurait transpercé le cœur. »

Je cillai. Deux fois. Ce n'était pas une vision.

Il y avait un cœur dans mon armoire.

3. La prochaine mission

– Tiens, tiens ! Frank a une admiratrice secrète !

J'allongeai le bras vers l'énorme boîte de friandises rouge, en forme de cœur, qui trônait sur l'étagère de mon frère :

– Je veux les fourrés aux noix.

D'une claque, Frank chassa ma main.

– Il y a un petit mot ? m'enquis-je. Un billet doux ? Style : « Je t'adore, Frankie, mon ange adoré, mon petit canard chéri. » La nana qui t'envoie ça s'est embrouillée dans les dates. On n'est pas à la Saint-Valentin.

Frank rougit. Ben oui, mon frère rougit !

Et, avec ça, il plaît quand même aux filles. Dingue.

Frank ouvrit la boîte en forme de cœur et, aussitôt, j'oubliai la psychologie féminine. Il n'y avait pas de bonbons à l'intérieur. Juste un gros rouleau de billets de banque, une carte routière et un CD de jeux vidéo. Dessus, l'étiquette annonçait: À BOUT DE COURSE.

Nous n'allions pas tarder à connaître notre prochaine mission ATAC. C'est comme ça qu'elles arrivent: déguisées en jeux vidéo.

– On va s'installer à l'écart, dit Frank.

Ouvrant la marche, il sortit dans la cour et gagna le chêne qui se trouve tout au bout.

Je tirai de mon sac à dos mon lecteur portable avant de m'affaler sur l'herbe. Frank s'assit près de moi et me donna le «jeu». J'insérai le disque dans la fente.

J'adore entendre le déclic du CD qui se met en place. Chaque fois, mon cœur bat plus vite. Je raffole de cet instant où nous sommes sur le point de découvrir notre prochaine mission.

J'enfonçai la touche PLAY. La Terre apparut sur l'écran miniature: une petite balle bleue et blanche tournant sur elle-même.

Je n'étais pas bien avancé. Notre mission se situerait quelque part dans le monde. La belle affaire.

– « Les hommes partagent la Terre avec cent millions d'autres espèces », dit le narrateur, tandis que surgissaient sur l'écran des arbres, des champignons, des animaux, des insectes, des organismes unicellulaires. Il en apparaissait de nouveaux à chaque seconde. Ils occupaient le moindre centimètre carré.

– « Mais deux cent soixante-dix mille espèces s'éteignent chaque année. »

Des X rouges zébrèrent l'écran, biffant des créatures dont j'ignorais même l'existence.

– « Cet énorme taux d'extinction n'a sévi que cinq fois dans l'histoire de la Terre – dû à des météorites, des éruptions volcaniques ou de brusques changements climatiques. »

– Les météorites. C'est une des théories pour expliquer la disparition des dinosaures, commenta Frank.

– Merci, M'man ! le raillai-je – quelquefois, il parle comme un bibliothécaire. Ce que j'aimerais savoir, c'est le rapport avec notre mission.

– « Mais la nature n'est pour rien dans l'extinction massive qui se produit de nos jours », poursuivit le narrateur.

Je n'arrivais pas à détacher mes yeux de toutes ces croix rouges. Comment était-il possible que tant d'espèces disparaissent ? Des espèces *entières* ! J'en étais tout retourné.

– « Cette recrudescence est provoquée par… – une photo de Frank et de moi apparut sur l’écran – les êtres humains. »

– Il y en a qui ont un sens de l’humour un peu tordu, au siège, rigola mon frère.

– Je ne vois toujours pas à quoi ça nous mène, râlai-je. C’est quoi, la mission ?

Un tas de photos d’autres gens emplirent l’écran.

– « Les humains consomment près de la moitié des ressources terrestres. Cet homme veut changer tout cela. Il s’appelle Arthur Stench. »

Un seul individu prit la place de ceux qui occupaient l’image. Il paraissait avoir une cinquantaine d’années. Il commençait à se dégarnir, mais il avait une longue barbe. Il avait l’air musclé.

– « Arthur Stench possède une propriété privée dans le désert californien. C’est un endroit où des gens s’assemblent pour vivre en harmonie avec la Terre. Où ils peuvent lui rendre ce qu’elle donne. »

Pour un peu, j’aurais flanqué un coup de pied dans le lecteur. Je regardais un documentaire, ou quoi ? Où était la mission ?

La photo de Stench s’évanouit, remplacée par une image du désert : buissons rabougris, cactus, rochers et montagnes en arrière-plan.

– « Nous n'avons aucune image de cette propriété. Les visiteurs n'y sont pas bienvenus. C'est là que vous entrez en jeu, tous les deux. La plupart des disciples de Stench sont des jeunes. Votre mission est d'infiltrer la communauté. »

– Je ne comprends pas, fis-je. Stench a l'air d'être le bon de l'histoire, non ?

On eût dit que le narrateur m'avait entendu :

– « Il se peut que Stench soit inoffensif. Et même héroïque. Cependant, selon des informations qui nous sont parvenues, il aurait recours à des mesures radicales pour contraindre les gens à adopter ses convictions : menaces ; incendies criminels ; attentats à la bombe ; et même meurtres. Nous devons mettre un terme à tout cela. Mais d'abord il nous faut déterminer s'il représente ou non une menace. »

– Bref, ce n'est pas qu'une histoire d'écologie, marmonnai-je.

Je fixai la photo de Stench, comme s'il m'était possible, en m'obstinant suffisamment longtemps, de lire dans son cerveau.

– « Aucune route ne mène à la communauté. Vous ne trouverez en chemin ni hôtels ni fast-foods. Il est même peu probable que vous croisiez quelqu'un avant d'y parvenir. Nous vous recommandons de prendre vos motos. »

Nos bolides surpuissants occupèrent l'écran, filant comme des flèches à travers le désert. Ni routes, ni limite de vitesse. Cool.

– « Cette mission, comme toute mission, est ultrasecrète. Dans quelques secondes, ce disque sera reformaté en CD musical ordinaire. »

En effet, cinq secondes plus tard, une chanson de Cher retentit à plein volume. Des rires fusèrent d'un groupe d'élèves avant que j'aie eu le temps de retirer le disque.

– Tu sais ce que ça signifie ? me lança Frank, dont les yeux brun foncé pétillaient.

– Et comment ! On va…

– … s'éclater sur la route !

On n'allait pas s'ennuyer tout l'été, enfermés à la maison. On traverserait le pays en moto. Génial, non ?

4. Bon ou nuisible ?

Le lendemain matin, Joe s'affala sur mon lit sans se donner la peine d'ôter ses chaussures. Au fait, je vous ai dit que mon frère est un porc ?

– J'ai programmé nos GPS moto, annonça-t-il.

Puis il fit claquer une énorme bulle de chewing-gum violet qui dégageait une horrible odeur synthétique de grappe de raisin. Je faillis éternuer.

Joe réaspira le chewing-gum dans sa bouche, et continua à mastiquer en énonçant :

– 4 411,49 kilomètres à faire. Pratiquement deux jours de route.

– Si on roule sans s'arrêter. Ni manger ni dormir, rectifiai-je.

Je glissai un jeu d'outils à crocheter les serrures dans mon sac à dos. Il m'avait été utile lors d'autres missions, et j'aimais bien l'avoir avec moi.

– J'ai réfléchi à ça, dit Joe. Nous devons rejoindre la communauté et enquêter, SOIT. Mais nous aurons sûrement un peu de temps pour…

– Visiter, achevai-je, totalement d'accord avec lui sur ce point. Ce serait sympa de s'offrir un petit détour au mont Rushmore.

– Pardon ? fit Joe tout en se curant l'oreille avec le coin de mon couvre-lit. Répète, j'ai mal entendu.

– Tu es prié de laver ce truc.

Il continua son manège, mais je ne me donnai pas la peine de répéter : il m'avait parfaitement entendu.

– On a tout le pays à découvrir. Et ce sont des têtes sculptées que tu choisis en premier ? Je rêve.

Je fourrai des sous-vêtements dans mon sac. Joe comptait sûrement porter le même slip boxer pendant dix jours. Il s'imagine qu'il suffit de le retourner pour qu'il redevienne propre.

– C’est quoi, ce que tu visiterais en premier ? lui demandai-je.

– Tu vas voir un peu si ce n’est pas cool, me dit-il en se redressant. Il existe un endroit où on dresse les animaux de cirque. Toutes les poules qui savent jouer au morpion en viennent.

– Tu préfères aller regarder des animaux domestiques qui jouent au jeu le plus stupide du monde au lieu de découvrir un des endroits les plus célèbres de notre pays ?

Avant qu’il puisse répondre, Maman entra dans la chambre :

– J’ai imprimé des infos pour vous. Sur les pétroglyphes. Il y en a qui remonteraient à huit mille ans, paraît-il.

Je rougis. Ce n’est pas seulement devant les filles que ça m’arrive. C’est pareil lorsque je mens à notre mère.

Nous lui avions dit que nous voulions consacrer une partie des vacances à la découverte des pétroglyphes du désert Mohave. Les sculptures réalisées dans la roche par les anciens Indiens devaient être cool. Mais ce n’était pas pour ça que nous avions choisi ce prétexte. En fait, il y avait deux raisons : un, maman approuverait forcément un projet aussi éducatif ; deux, il y avait aussi des pétroglyphes dans la région de la communauté de Stench.

S'il faut mentir, autant que ce soit plausible !

Joe prit les documents que lui tendait maman et les parcourut.

– C'est vrai qu'il y a un rapport entre les pétroglyphes et les extraterrestres ? Il paraît que certaines sculptures représentent des ovnis vus par les Indiens.

Mon frère est fan d'Art Bell. Dans le talk-show radiophonique de ce journaliste, il n'est question que d'ovnis, de conspirations, et du fait qu'il y a de véritables vampires en vadrouille. Joe avale ça à la louche.

Maman lui dit :

– Je suis effectivement tombée sur un site où il était question de glyphes et d'extraterrestres. Je n'ai rien imprimé, mais il y avait des choses très intéressantes. Selon certains archéologues, les gravures rupestres ont été réalisées par des sorciers en état de transe.

– Pendant qu'ils étaient défoncés, tu veux dire ?

– Eh bien, il se peut que, dans certaines cérémonies, ils aient utilisé des plantes altérant les facultés mentales, reconnut maman.

Je tirai sur la fermeture à glissière de mon sac à dos, que je balançai sur mon épaule.

– On y va ? lançai-je à Joe.

– Ouais.

Il saisit son sac et fourra les tirages de maman dans la poche de devant.

– Inutile de vous faire les recommandations habituelles, dit-elle. Du genre : mettez toujours votre casque. Et essayez de manger sain de temps à autre.

– Tante Trudy nous a déjà servi son laïus, sois tranquille, fis-je.

Maman râla :

– Vous savez bien que c'est *moi* qu'elle sermonne, quand vous n'êtes pas là.

– « C'est dans une bonne intention », la taquina Joe.

Maman nous serine toujours cettc rengaine, lorsque nous nous plaignons de tante Trudy. On adore notre tante, mais quelquefois elle est vraiment enquiquinante.

J'étais d'ailleurs surpris qu'elle ne soit pas à l'étage en ce moment, pour superviser nos préparatifs. J'eus l'explication une fois dehors : elle était en train de briquer le guidon de Joe.

Il nous fallut un bon quart d'heure pour en terminer avec les adieux, les leçons de tante Trudy et les conseils de maman. Ça aurait pris encore plus longtemps si papa n'avait pas été à l'un de ses « breakfasts ». Il avait toujours un tas de tuyaux à nous donner avant une mission.

Une fois à moto, je n'ai plus envie de

remettre pied à terre. Rien à voir avec un voyage en voiture ! Vous avez la sensation que la machine est une prolongation de votre propre corps. Comme si vous filiez directement sur l'asphalte, à contre-courant du vent. Nous roulions depuis un jour et demi, maintenant – avec un bref arrêt pour dormir – et je n'étais toujours pas lassé de mon engin. J'aurais pu rouler comme ça indéfiniment.

Notre première escale importante fut le mont Rushmore. Joe et moi avions conclu un marché : nous choisirions tour à tour nos étapes dans la traversée du pays.

Au fait, mon frère a raison : le mont Rushmore n'est qu'un amas de gigantesques têtes de pierre. Mais ce sont celles des hommes qui ont contribué à faire des États-Unis ce qu'ils sont : Washington, Lincoln, Jefferson, Theodore Roosevelt. On a l'impression que cent cinquante ans d'histoire nous contemplent.

– Bon, à mon tour, dit Joe quand nous enfourchâmes nos motos sur le parking du monument.

– Les poulets surdoués, c'est ça ?

– Pas du tout. Encore mieux : la Chose dans le désert.

– C'est-à-dire ?

– C'est une chose. Quelqu'un l'a trouvée

dans le désert. Elle est censée être stupéfiante.

– Mais qu'est-ce que c'est ?

– Le truc génial, dit Joe en coiffant son casque, c'est qu'on ne peut pas la décrire. Il faut voir par soi-même. Les gens viennent de partout pour ça.

– Comment as-tu appris son existence ?

Joe tapa sur son casque, pour faire signe qu'il ne pouvait plus m'entendre. Aucune importance. De toute façon, c'était à lui de choisir.

Une fois franchie la frontière de l'Arizona, on commença à voir défiler des pancartes : VOUS ÊTES À CENT KILOMÈTRES DE LA CHOSE DANS LE DÉSERT. QUEL EST LE MYSTÈRE DU DÉSERT ? Ce genre-là. Aucune d'elles ne donnait la moindre indication sur la fameuse chose.

Une bonne vingtaine de pancartes plus loin, nous arrivâmes enfin dans une vaste station-service avec boutique de souvenirs. Joe trépignait d'impatience lorsque nous entrâmes. Ayant payé chacun deux dollars, nous suivîmes les larges empreintes vertes qui, nous avait-on dit, menaient à la Chose.

– Cool, non ? fit Joe, qui s'appliquait à placer ses pieds au milieu des traces de pas du monstre.

– Tout ce que je vois pour l'instant, ce sont

des morceaux de bois censés représenter des animaux.

Je lorgnai le rondin le plus proche. Il ressemblait vaguement à un écureuil. Un écureuil *mutant*.

– Tu as bien voulu voir des rochers qui ressemblent à des têtes, non ? Alors, tu peux parler, dit Joe, reprenant son pas normal.

Les empreintes nous conduisirent d'une cabane à une autre. Nous dépassâmes du mobilier originaire de France. Puis une voiture dans laquelle Hitler avait voyagé une fois. Soi-disant.

Enfin, dans la troisième cabane, nous trouvâmes la Chose.

Vous voulez tous savoir de quoi il s'agit, je parie ?

Désolé, je ne peux rien vous dire. Je n'ai pas réussi à comprendre de quoi il s'agit.

On dirait une sorte de momie. Enfin, peut-être. Et à côté il y a une sorte de momie d'enfant. La pancarte au-dessus déclare : À VOUS DE DÉCIDER.

Formidable.

Je regardai Joe, sûr qu'il voudrait demander le remboursement de son billet. Ou, au moins, qu'il serait prêt à reconnaître que le mont Rushmore, c'était quand même beaucoup mieux.

– Ce truc est démentiellement génial ! déclara-t-il.

OK, j'avais tout faux. Mais heureusement, c'était à moi de choisir la prochaine destination. Il faudrait que j'attende le voyage de retour, cependant. Nous devions passer à la vitesse supérieure, et rejoindre la communauté d'Arthur Stench.

Nous décidâmes de pousser jusqu'à Phoenix pour y passer la nuit. Le lendemain, il nous resterait environ quatre heures et demies de route pour atteindre Palm Springs. La communauté de Stench était établie dans le désert, à une heure de cette ville.

– Tu paries ? me lança Joe en entrant dans notre chambre de motel.

– Sur quoi ?

– Sur ce qu'on trouvera demain.

J'enlevai mes boots et m'allongeai sur le lit le plus proche. J'eus la sensation que le matelas vibrait – Il faut un bon moment pour que l'impression d'être toujours à moto s'estompe.

Joe s'affala sur son lit comme d'habitude : sans ôter ses chaussures. Là, ça m'était bien égal. Du moment que ce n'était pas mon couvre-lit !

– À ton avis, Stench est juste un écolo qui

aime les arbres ? Un pacifique ? Ou il aura une tente bourrée de bombes et tout ça ?

– Selon moi, supposai-je, ATAC ne nous enverrait pas là-bas s'il n'y avait pas de grandes chances que ce type ait les mains sales. Je ne me plains pas, note bien. On fait un voyage super.

– Ah, je le savais ! Tu as adoré la Chose !

– J'ai préféré le stand de souvenirs. Dommage qu'on ait manqué d'argent pour acheter le crotale empaillé.

– Ouais, approuva Joe. Remarque, tante Trudy nous aurait sûrement forcés à le reléguer au garage.

Je fermai les yeux. L'image d'Arthur Stench m'envahit. Type bien ? Sale type ?

Vouloir protéger la Terre, c'était bien. Sauf si on avait recours à la violence pour y parvenir.

Dans mon esprit, Arthur Stench me sourit. Comme pour me défier de le percer à jour.

Demain, nous aurions l'occasion de le faire, Joe et moi. Nous nous retrouverions face à lui.

5. Pneu éclaté

Inutile de consulter le GPS pour savoir que nous approchions. Des centaines d'éoliennes blanches s'alignaient dans le désert.

Nous étions sûrement au col de San Gorgonio. Frank m'en avait parlé au cours de la nuit. J'avais eu du mal à m'endormir : en songeant à ce qu'on risquait de trouver dans la propriété, j'avais des poussées d'adrénaline. Quand je suis dans cet état, une seule chose peut me calmer : écouter jacasser Frank. Il lui arrive de raconter des trucs intéressants.

Cette nuit, il m'avait appris un tas de choses sur les éoliennes. Je vous ai déjà dit qu'il est à moitié bibliothécaire, non ? Ce qu'il y a de bien, c'est qu'il est aussi à moitié flic. Une combinaison qui tient la route.

Donc, avant d'être mis KO, j'avais eu des infos sur les éoliennes. Plutôt étonnant ! Figurez-vous que l'air chaud s'élève au-dessus de la Conchella Valley et canalise l'air plus froid dans un col, entre les montagnes de San Bernardino et San Jacinto. Le vent atteint près de trente kilomètres/heure. Ce qui fait sacrément fonctionner les éoliennes. Les propriétaires de la terre vendent l'électricité qu'elles génèrent. Ils exploitent le vent.

La prochaine fois que mon conseiller pédagogique me demandera ce que je veux faire plus tard, je pense que je répondrai : fermier éolien. Mais en réalité je deviendrai sûrement inspecteur, ou détective. J'ai besoin d'excitation.

Frank se porta à ma hauteur. Il tapota son GPS. Je regardai le mien.

Écran noir.

Zut.

Je pris la bretelle de sortie de l'autoroute, et fis halte dans la première station-service venue. En fait, il n'y en avait pas d'autre. La sortie ne conduisait pas à une ville – juste à la station-service et à un petit restaurant qui semblait fermé depuis un demi-siècle. Du papier journal jauni et en lambeaux masquait les fenêtres.

Je vérifiai de nouveau mon GPS. Toujours noir. J'avais espéré que le dysfonctionnement était dû aux éoliennes. Mais non.

Frank vint se garer derrière moi et ôta son casque. J'en fis autant.

– Je crois qu'on est hors de la zone de couverture. Il va falloir se débrouiller à l'ancienne, annonça-t-il.

Il sortit de son sac à dos la carte routière qu'on nous avait livrée avec le CD sur notre mission. Je me penchai pour l'examiner aussi :

– Apparemment, on doit prendre cette route d'accès, pas l'autoroute.

– Oui. Et, après trois ou quatre kilomètres, on devrait trouver une voie qui coupe à travers le désert.

Frank rangea la carte dans son sac. Alors que j'allais remettre mon casque, j'eus une arrière-pensée. Nous étions apparemment au point mort au beau milieu de nulle part. La station-service était sans doute notre dernière occasion de nous ravitailler.

– Je vais faire provision d'eau, dis-je à Frank.

– Je me charge de nos pleins d'essence.

Je me dirigeai vers la petite boutique – juste une ou deux étagères de conserves et un compartiment réfrigéré près de la caisse. L'endroit puait les pieds.

Je pris deux bouteilles d'eau et des canettes de soda pour chacun de nous, un assortiment de chips et des Slim Jim « goût bœuf séché », ainsi qu'un de ces gâteaux à la guimauve rose fluo. Le vieux bonhomme derrière le comptoir enregistra mes achats sans commentaire. Je payai la nourriture et l'essence, et rejoignis Frank. Après avoir fourré le tout dans nos sacs, nous nous dirigeâmes vers la route d'accès.

Elle longeait l'autoroute pendant un moment. Mais, contrairement à ce qui se passait sur la voie rapide, nous étions les seuls à y rouler. C'était plutôt cool – et très bizarre. Vous connaissez une route, vous, où le trafic se réduit à zéro ?

Nos bolides dévoraient les kilomètres.

Hé, minute ! On aurait dû tomber sur un embranchement, non ? D'après la carte, il n'y avait que quelques kilomètres à parcourir avant de prendre à gauche.

Le hic, c'est qu'on ne pouvait tourner nulle part.

Je ralentis. Frank se porta à ma hauteur.

– Tu as vu un embranchement ? lui criai-je.

Il fit signe que non.

Nous avions peut-être sous-estimé le nombre de kilomètres à franchir. Une carte en papier n'est pas le GPS. Je regardai mon compteur ;

vis défiler un kilomètre, puis un autre. Frank me signifia de me rabattre. Nous nous arrêtâmes.

– Qu'en penses-tu ? lui demandai-je.

– Je crois qu'on aurait dû prendre un des chemins de terre qu'on a dépassés.

– Un de ces trucs qui avaient l'air de sentiers de lapins ?

– Il le faut bien, dit Frank, qui avait ressorti la carte.

Frustré, je contemplai l'écran muet du GPS. À quoi bon l'avoir si ça ne marchait pas dans les endroits écartés ? C'était justement dans ces coins-là qu'on en avait le plus besoin !

– Bon, quel sentier prend-on ? demandai-je. On en a dépassé quatre.

– Je suppose qu'on doit se baser sur le kilométrage... La voie que nous cherchons se trouve à...

Frank posa un doigt sur la carte, effectuant le calcul :

– ... à cinq kilomètres en sens inverse.

Nous fîmes demi-tour. Je regardai défiler au compteur un, deux, trois, quatre, cinq kilomètres. Je scrutai la route. À trois ou quatre cents mètres, j'aperçus un chemin de terre qui s'enfonçait dans le désert.

C'était forcément le bon. Frank devait être

du même avis: il vira avec sa moto et s'y engagea.

Je le suivis en ralentissant. Le sentier cahoteux ne se prêtait pas à la vitesse. Une chance que nous soyons à moto. Une voiture n'aurait pas tenu le coup.

La vitesse ne me manquait pas, cela dit – même si j'aime, en général, atteindre une destination rapidement. J'aurais cru qu'il n'y avait rien à voir dans le désert, j'avais tort. On y vit les fameux cactus qui ressemblent à des hommes aux bras levés. Des arbustes épineux chétifs. Des amarantes – oui, d'authentiques amarantes. D'énormes amas de rochers.

J'étais si occupé à regarder autour de moi que je mis un moment à réaliser que Frank s'était arrêté. Je stoppai près de lui. Je me rendis aussitôt compte du problème : le chemin se divisait en deux. Cela n'apparaissait pas sur la carte.

– Tu penses qu'on a choisi le mauvais, Frank ?

– En principe, c'est le bon. On a bien estimé le kilométrage.

Je sortis mon téléphone mobile. Pas de réseau.

– En tout cas, l'embranchement de droite se dirige plus dans la direction où nous sommes censés aller, fis-je.

– Oui. Autant le prendre. On pourra toujours faire demi-tour.

J'ouvris une canette de soda et bus. Le liquide picota ma gorge desséchée.

– La caféine, ça déshydrate, Joe, commenta Frank. Tu ferais mieux de faire comme moi et d'avaler un peu d'eau, après ton soda.

– Au prochain arrêt, répondis-je.

Je vidai la canette, puis je repartis en tête sur la piste que nous avions choisie. Elle ne cessait de se rétrécir. Soudain, elle s'évanouit.

De nouveau, nous fîmes une halte stratégique. J'avalai de l'eau et un bout de gâteau à la guimauve. Puis nous décidâmes de suivre un certain temps l'autre piste avant de regagner la route d'accès.

C'était le bon choix. La piste partait dans la mauvaise direction pendant un peu plus de deux kilomètres, puis s'incurvait en sens inverse. J'étais pratiquement sûr que nous étions sur le bon chemin, mais ça m'aurait plu de tomber sur un panneau indicateur ! Rien n'indiquait qu'un être humain s'était déjà aventuré dans ces parages.

Le soleil tapait sec. Je me débarrassai de mon blouson de cuir en deux mouvements d'épaules ; ensuite, d'une main, je le logeai dans le compartiment situé sous mon siège.

Une ombre s'allongea sur le sable, devant moi. Je ne compris d'abord pas d'où elle venait. Je levai les yeux et vis un énorme oiseau au-dessus de nos têtes. Il était noir avec une tête orange ; son envergure dépassait la longueur de mon corps. Deux congénères le rejoignirent. « Des vautours », réalisai-je.

Pourvu qu'ils n'en aient pas après moi et Frank !

Un instant plus tard, je sus quelle était leur cible : devant nous, un mouflon gisait sur le sol. L'un des charognards se percha sur son dos. Quelques secondes plus tard, un lambeau de chair pendait de son bec acéré.

Je m'arrêtai pour regarder de plus près. Ce n'est pas tous les jours qu'on peut voir un vautour en action !

– Ce mouflon pèse au moins cent kilos, dit Frank. Je me demande qui a eu sa peau.

J'observai le mouflon : avant le vautour, une autre créature avait commencé à le dévorer.

– L'emblème du drapeau de la Californie est un ours, non ? demandai-je.

– Il paraît qu'il y a des ours noirs dans le désert, répondit Frank.

Je regardai par-dessus mon épaule. Je me faisais l'effet d'être Chet, en train de s'assurer que Brian Conrad n'était pas derrière lui.

Les deux autres vautours descendirent en tournoyant vers leur proie. Ils se chamaillè-

rent un peu avec le premier, puis s'installèrent.

L'animal qui avait tué le mouflon n'était pas dans les parages, sinon les charognards ne se seraient pas posés, n'est-ce pas ?

Quoique.

J'entendis un long hurlement aigu et modulé. Suivi d'un *yip, yip, yip*. Le cri ne parut pas déranger les vautours.

– Regarde. À quatre heures, énonça mon frère d'une voix basse et calme.

Je tournai la tête vers la droite. Un coyote était tapi derrière des buissons épineux, les yeux rivés sur le mouflon.

Il émit un deuxième hurlement. Il n'était pas plus grand qu'un colley, dont il avait aussi la tête et l'allure. Pourtant, les poils de mes bras se hérissèrent.

N'allez pas vous imaginer que je suis peureux. Mais ce coyote avait beau ne pas peser plus de dix kilos, et avoir l'air d'un animal domestique, c'était forcément un coriace ! Personne ne lui donnait des croquettes chaque soir. Il devait chasser pour manger.

Et il avait les dents qu'il fallait pour ça.

Frank commença :

– Il n'a pas l'air de s'intéresser à nous. Mais on ferait mieux…

– Oui, approuvai-je.

Comme je démarrais ma moto, les yeux jaunes du coyote se fixèrent sur moi. Il avança dans ma direction, rasant le sol. Un vrai prédateur en chasse.

Cette fois, mes cheveux se dressèrent sur ma nuque – et les poils de mes bras ne s'étaient pas encore remis en place !

Comment réagir ? Le fixer aussi, ou n'en rien faire ? Hurler, ou se tenir coi ?

Frank avait choisi de rester silencieux et immobile. J'en fis autant.

Regarder un chien dans les yeux est un acte de domination. Il devait en être de même avec un coyote. Donc, je baissai les yeux. Du coup, je ne pouvais pas constater si ma stratégie était payante. Le coyote s'apprêtait peut-être à bondir sur moi. Je jetai un bref coup d'œil dans sa direction. Impossible de faire autrement.

Il s'était mis à avancer vers le mouflon. Je lâchai un soupir involontaire. Et profitai de l'occasion pour mettre les gaz. Que les vautours et le coyote se disputent la nourriture sans nous !

Quelques kilomètres plus loin, nouvel arrêt. Je m'assurai qu'il n'y avait ni ours ni coyotes, ni, au ras du sol, de crotales ou de scorpions. Rien à signaler.

– On a peut-être intérêt à rebrousser chemin

pour essayer une autre piste, suggéra Frank. On devrait se diriger vers le sud-est, maintenant.

Je sortis deux Slim Jim « arôme bœuf séché ». J'en donnai un à Frank en proposant :

– Si on quittait carrément la piste ? Pour prendre la direction qu'il faut ?

Il réfléchit.

– J'ai une boussole. Et on pourrait mettre des repères en déchirant une de nos chemises pour retrouver notre chemin au retour.

– Pas question de sacrifier une de mes chemises ! Avec tous les slips que tu as emportés, tu peux tenir jusqu'à la fin du prochain millénaire. On n'aura qu'à en utiliser quelques-uns.

J'avalai de l'eau pour faire passer le bœuf séché. En remettant la bouteille à moitié vide dans mon sac à dos, je m'aperçus que c'était ma dernière. J'avais cru en avoir une autre.

– Qu'est-ce qu'il y a ? s'enquit Frank.

– Rien, il faut juste que je me restreigne sur l'eau.

– Il me reste une bouteille.

– Moi, une demie et un soda. Et trois petits sachets de chips.

Pas de quoi s'inquiéter, dans des circonstances normales : on déniche toujours une supérette quelques pâtés de maisons plus loin. Et un fast-food. Mais dans le désert… c'est le désert !

Je regardai une nouvelle fois mon mobile. Toujours pas de réseau. C'était prévisible, mais je ne pouvais pas m'empêcher de vérifier.

Frank prit un slip dans son sac à dos, y découpa une bande de tissu à l'aide de son couteau suisse, et la noua au plus proche cactus.

– Il reste assez d'heures de jour pour tenter le coup, dit-il, réenfourchant sa moto.

Nous nous déportâmes hors du chemin et reprîmes la route en vrombissant. J'avais l'impression que nous pourrions rouler indéfiniment sans rencontrer une marque de civilisation. Mais, enfin, j'aperçus une pancarte : PROPRIÉTÉ INTERDITE, attachée à un gros cactus.

Je lâchai un cri et freinai si brutalement que ma moto dérapa en décrivant un demi-cercle.

– Tu te réjouis de devoir faire demi-tour ? lança Frank.

– Tu ne comprends pas ? Cette pancarte signifie une intrusion possible ! Donc, qu'il y a des gens ! On va pouvoir demander notre chemin. Avoir de l'eau !

– Tu as raison. Entrons quand même !

Frank dépassa la pancarte.

Quelques kilomètres plus loin, nous en

vîmes une autre : REBROUSSEZ CHEMIN. PROPRIÉTÉ PRIVÉE. Cet avertissement était placé à côté d'une route ! Elle n'était ni pavée ni goudronnée, mais c'était une route tout de même.

Je fis signe à Frank, pouce levé. Nous approchions de... quelque chose.

Je mis les gaz. Je pouvais faire un peu de vitesse, maintenant. Ouiii ! Je filais sur la route droite et plate.

Et tout à coup... *bang !* Mon pneu arrière creva. Je perdis le contrôle de ma moto.

6. Propriété interdite

Soudain, je fis la culbute. Le poids de ma moto me cloua au sol.

Je coupai le contact et regardai Joe. Il avait valsé à terre lui aussi.

Je relevai mon engin et me mis debout.

– Ça va ? demandai-je.

– Ouais, lâcha Joe, affalé près de sa machine. Qu'est-ce qu'il y a eu, bon sang ?

Je me penchai pour examiner mon pneu avant. Une pointe acérée y était fichée. Je la retirai d'un coup sec et la lui fis voir :

– Voilà ce qu'il y a eu.

Il trouva une pointe semblable dans son pneu arrière, et commenta :

– Ils ne veulent vraiment pas qu'on entre !

– Tu l'as dit !

J'effectuai quelques pas en arrière. Maintenant que j'étais alerté sur leur présence, je voyais une quantité de pointes répandues sur le sol.

– Bon, on continue, ou on fait marche arrière ? demanda Joe.

Je pensai que nous n'avions qu'une bouteille d'eau et demie, et très peu de nourriture – si on peut considérer des chips et des confiseries comme de la nourriture !

– On continue. Avec un peu de chance, le type qui a semé ces clous est plus proche que la route d'accès.

– Oui, approuva Joe. De toute façon, je ne vois pas ce qu'on aurait à gagner en rejoignant la bretelle. On n'y a croisé personne.

– On serait obligés de revenir à cette fichue station-service.

Un sacré bout de chemin à pied. En plein désert. Avec presque pas d'eau.

« Arrête de penser à ça », m'intimai-je. Cela ne cessait de m'obséder, ce qui ne changeait rien.

Où que l'on soit, le manque d'eau signifie la mort. Mais, dans le désert, elle vient plus vite.

Or, nous étions en mission. Nous ne pouvions pas revenir en arrière.

Joe redressa sa moto, la fit rouler vers le bas-côté et la cacha dans les buissons. Je l'imitai. N'allez pas croire que c'était facile pour nous de les laisser là. On adore nos bolides. Mais nous étions en service commandé. Et d'ailleurs… qui aurait pu nous les voler ?

On se mit à marcher.

Et à marcher.

Et à marcher encore.

La sueur dégoulinait sur mon visage et dans mon dos. Mais, au moins, je suais. C'est lorsque ça s'arrête que votre corps entre dans la phase critique.

– À ton avis, il faut boire le soda ou pas ? s'enquit Joe.

– Ça te donnera encore plus soif, c'est tout.

– Les chips, c'est une mauvaise idée, je parie.

– Pour ce qui est d'assoiffer, c'est radical. Mais je suppose que les féculents nous apporteront de l'énergie.

– Je les garde pour plus tard, décida Joe.

Aucun de nous n'avait mentionné la chaleur. À quoi bon ? Mais elle pesait sur moi comme une présence tangible. M'écrasait. Rendait chaque pas plus difficile.

J'eus une idée : je tirai un T-shirt de mon sac à dos et m'enveloppai la tête avec.

– Tu devrais en faire autant, dis-je à Joe. Prends un truc blanc : ça réfléchira le soleil, et tu seras un peu plus au frais.

Il suivit mon conseil et nous continuâmes à marcher.

Marcher.

Marcher toujours.

L'allure de Joe m'inquiétait. Il traînait les pieds : à chacun de ses pas, du sable s'élevait – que nous respirions l'un et l'autre. Ses yeux semblaient plus enfoncés dans leurs orbites, ses lèvres étaient craquelées.

J'avais sûrement le même aspect ! Je me remémorai les paroles de maman : l'eau est nécessaire pour véhiculer les nutriments, et les cellules du cerveau se ratatinent si elles en sont privées. Combien de temps cela prenait-il ? Nous devions avoir l'esprit bien aiguisé, Joe et moi, dans un tel milieu !

– Est-ce qu'ATAC pourrait nous retrouver, à ton avis ? s'enquit Joe. Je veux dire : tu crois qu'on se rapproche de l'endroit où on est censés aller ?

– Si ce sont Stench et ses amis qui ont mis ces pancartes, oui.

Je ne lui fis pas remarquer qu'ATAC – et papa – ne s'attendait pas à nous voir revenir avant une bonne semaine.

Nous continuâmes à marcher. Nous ne pouvions rien faire d'autre. Marcher, marcher, marcher.

– Est-ce que tu crois qu'ATAC pourrait nous retrouver ?

Je décochai un coup d'œil à Joe. Avait-il oublié qu'il m'avait déjà posé cette question ? Commençait-il à délirer ?

Je sortis la bouteille d'eau de mon sac et en avalai une petite gorgée. Puis je la tendis à mon frère :

– Prends-en un peu.

– J'en ai encore.

– Prends, je te dis. On boira la tienne plus tard.

Joe but une gorgée, toussa et recracha.

– Désolé, marmonna-t-il, c'est du gâchis.

– Essaie encore, insistai-je.

Il réussit à avaler. Quand il me rendit la bouteille, je remarquai que sa peau était moite. Mauvais signe.

Je consultai ma boussole. Nous allions vers le sud-est. Mais cela ne signifiait pas grand chose, car nous ne savions pas exactement d'où nous étions partis. La carte que je ne cessais de consulter ne m'apprenait rien.

J'accrochai un morceau de tissu au plus proche cactus. Si nous étions contraints de rebrousser chemin, puis de retracer notre périple à moto jusqu'à la route d'accès puis la station-service, Joe y parviendrait-il ?

Et moi ?

– Si on s'arrêtait un moment ? suggéra Joe. Je commence à avoir sommeil. On pourrait peut-être dormir jusqu'à la tombée de la nuit. On a des torches, et tout ce qu'il faut.

Je regardai ma montre : quinze heures quatorze.

– Le soleil va briller encore des heures, et il n'y a d'ombre nulle part, répondis-je. On va cuire littéralement, là dehors. Il faut continuer au moins jusqu'à ce qu'on trouve un abri.

– Oui, un abri.

Joe s'immobilisa pour lever une main en visière devant ses yeux, et pivota lentement sur lui-même.

– Il n'y a rien p... Hé, tu as vu ? Ou est-ce que c'est un de ces fichus mirages ?

Je suivis la direction de son regard. Nous fixâmes le point métallique mobile qui venait vers nous.

Je sortis de mon sac une petite paire de jumelles.

– C'est une fourgonnette, annonçai-je.

7. Paradis

Une fourgonnette. Oui ! Sauvés !

Sauf si Frank et moi avions une hallucination. Je demandai à mon frère de me passer ses jumelles, et examinai le véhicule.

– C'est une Seussmobile, dis-je à Frank.

– Qu'est-ce que ça signifie ?

– Tu sais bien, on dirait un truc qui a l'air de sortir d'un bouquin du Dr Seuss.

Qu'est-ce que ça aurait pu signifier d'autre ? Il connaissait aussi bien que moi le célèbre auteur de romans !

Frank reprit les jumelles et scruta la fourgonnette.

– Tu ne vois pas ? fis-je. Elle est hérissée d'un tas de trucs métalliques bizarres.

– Je crois que ce sont des panneaux solaires. Ce qui explique pourquoi on n'entend pas de moteur.

Je n'avais pas pris garde au fait que la fourgonnette était silencieuse. Frank avait raison : elle ne faisait pas plus de bruit qu'un sous-marin immergé.

– Il y a des chances qu'on soit tombés sur Arthur Stench, dit-il. Ou que Stench soit sur le point de tomber sur nous. Qui peut conduire un truc pareil, à part un écolo pur et dur ?

Je braquai les jumelles sur la fourgonnette, à présent assez proche pour qu'on distingue le conducteur :

– Ce n'est pas Stench. Ou alors il a un maquillage d'enfer.

Une fille manœuvrait le véhicule. Une fille d'une beauté renversante ; avec des cheveux bouclés d'un roux clair, des taches de rousseur couleur café sur les épaules. Une ombre masquait ses yeux – mais j'aurais juré qu'ils étaient verts.

Peut-être que c'était bien un mirage, après tout.

Frank allongea la main pour récupérer ses jumelles. Je les lui rendis. Puis j'enlevai le T-shirt qui m'enveloppait la tête et, avec mes doigts, peignai mes cheveux trempés de sueur. Je m'étais attendu à des vacances sans filles. Étais-je si content que ça de m'être trompé ?

– Je maintiens que ce truc est une « Stenchmobile », insista Frank. Cette fille peut très bien être une de ses disciples. Il y a plein de jeunes de notre âge dans la communauté, à ce qu'il paraît.

Je le savais. Mais je m'étais fait une autre idée des partisans de Stench. On n'imagine pas que des ados normaux iraient vivre dans le désert ! Pas de ciné, pas de centres commerciaux, pas de skateparks, pas de confiseries, pas de *fun*.

J'avais pensé que les gens de la communauté étaient des allumés, quoi. Or, la fille de la fourgonnette ne pouvait pas l'être : les allumés ne sont pas sexy !

En me voyant mouiller mes doigts avec ma salive pour ôter la poussière qui maculait mon visage, Frank me regarda comme si j'étais fou :

– C'est dégoûtant ! Tu te mets du crachat partout !

Et alors ? C'est la première impression qui compte. Et la rousse n'allait pas tarder à avoir sa première impression sur moi. Elle s'arrêta près de nous et se pencha à la portière :

– Bienvenue à Paradis !

– Alors on est morts ? dit Frank.

La fille ôta ses lunettes. J'avais faux : ses yeux n'étaient pas verts, mais noisette. Noisette très clair. Dorés, presque.

Bon, OK, je parle comme un débile. Désolé. J'ai juste un peu perdu les pédales.

– Tu ne me fais pas du tout l'effet d'un fantôme, répondit-elle à Frank.

Elle lui sourit. Et le fixa comme quand on s'intéresse à quelqu'un. Et moi qui m'étais débarbouillé au crachat pour elle !

– Cet endroit s'appelle Paradis, reprit la fille, clignant des yeux pour mieux voir. Et moi, Petal Northstar.

Hein ? Elle n'allait pas me faire croire que ses parents l'avaient baptisée Petal ! Mais je ne fis aucune réflexion. Il restait une chance pour qu'elle réalise que c'était *moi*, le Hardy digne d'elle. Je n'allais quand même pas la bousiller !

– Je suis Alex Jefferson, lui dit Frank. Et voici mon frère John.

Non, mais vous croyez qu'il aurait pu me trouver un pseudonyme plus nul que celui-là ? John. Franchement.

– Tu peux m'appeler JJ, me hâtai-je d'enchaîner. Pour John Jefferson.

Il était plus prudent d'utiliser un faux nom,

bien sûr. Mais j'avais quand même le droit d'avoir un pseudo un peu plus cool !

– Comment se fait-il que vous soyez ici ? nous demanda Petal.

D'une voix douce. Comme un pétale.

Zut ! Je perds encore les pédales !

– Nous faisions un peu de moto hors des circuits routiers, répondit Frank. Et puis on a roulé sur des clous, et nos pneus ont crevé.

– Vous auriez dû respecter les pancartes d'interdiction.

Petal ne trouvait rien à redire, apparemment, au fait de semer des clous pour décourager les indésirables !

– Oui. C'est juste qu'il faut entrer dans le désert pour en ressentir le véritable impact. C'est un milieu totalement préservé. Pas de canettes de soda, pas de graffitis.

Bravo, Frank ! Si Petal faisait partie de la communauté de Stench, il avait prononcé les mots justes. Il avait donné l'impression d'être susceptible de rejoindre une bande d'écolos défenseurs de la planète. Je lui tirais mon chapeau d'avoir prononcé cette tirade. Il est super timide avec les filles.

Petal descendit de la fourgonnette. Elle gagna la porte arrière, l'ouvrit et sortit des gourdes, qu'elle nous donna.

Il n'y a rien d'aussi divin que de boire de l'eau dans le désert. Rien !

– Une fois, j'ai vu un cactus avec des inscriptions dessus. On avait tailladé sa chair, dit Petal tandis que nous buvions à grandes gorgées.

– C'est moche, commentai-je.

Elle me regarda réellement pour la première fois, puis reporta son attention sur Frank. J'aimerais savoir comment il réussit ce truc-là. Parce qu'il ne fait rien, en réalité ! C'est comme pour les moustiques, qui s'attaquent à certaines personnes plutôt qu'à d'autres... Les filles tournent autour de Frank comme les mouches autour du miel. Et est-ce qu'il en profite ? Non. Quel gâchis !

– M. Stench m'attend. Je vais vous emmener. On s'occupera de vous ramener après. Mais peut-être que vous aurez envie de rester un peu ? fit Petal, qui sourit à Frank. Pour faire vraiment l'expérience du désert.

Bingo ! Elle venait bien de la communauté d'Arthur Stench.

– Génial, s'écria Frank. Merci.

Il monta à l'arrière de la fourgonnette, et je le suivis. J'aurais aimé occuper la place du passager à côté de Petal, mais elle était encombrée par des cartons.

Je me demandai ce qu'ils contenaient. Des fusils ? Des bombes ? Des graines à germer ?

– Tu n'as pas trouvé que l'eau avait un goût bizarre ? me demanda Frank pendant que Petal contournait le véhicule pour remonter dedans.

– Elle était dé-li-cieuse.

– N'en bois pas trop, OK ? me chuchota-t-il – Petal se réinstallait au volant. Elle pourrait être empoisonnée. Je lui ai trouvé un drôle de goût.

Empoisonnée ? Pourquoi ? Stench avait-il pu être averti de notre venue ? Était-il au courant de notre mission ?

Ces pensées me donnaient le vertige. Ou alors c'était dû à toutes ces heures passées à rôtir au soleil. Je bus encore un peu. L'eau était bonne. Avec un arrière-goût métallique à cause de son séjour dans la gourde, peut-être, mais bonne.

Frank me décocha un regard désapprobateur. Mais en quoi vaut-il mieux mourir de déshydratation que d'empoisonnement ? Dans un cas comme dans l'autre, on est mort.

Petal fit démarrer la fourgonnette à énergie solaire, et nous partîmes en cahotant. C'était génial de gagner du terrain en gardant les fesses sur un siège !

– Vous devez avoir faim, tous les deux.

Petal avait dit « tous les deux », mais c'était

Frank qu'elle regardait dans le rétroviseur. Pourtant, il était toujours emmailloté dans son T-shirt et couvert de poussière. Il avait l'air d'un homme des sables de *Star Wars*.

– Oui. On a beaucoup marché, répondit-il.

– Il y a des barres énergétiques dans le gros sac qui est derrière vous. N'hésitez pas à vous servir.

Inutile de me le répéter ! Je pris des barres pour Frank et moi, et enfournai la mienne dans ma bouche en une seconde.

– Faut mastiquer, commenta Frank d'une voix pâteuse – il avait du mal à avaler.

Ma barre ne passait pas très facilement non plus. Plus je mâchais, plus elle semblait prendre du volume. Ce qui n'était pas possible.

Je pense.

– Tofu et fibres de cactus, nous apprit Petal. On les fabrique nous-mêmes à la communauté.

Je crus que Frank allait se mettre à hurler. Et moi avec. Il réussit quand même à ingurgiter sa chique de tofu au cactus. Alors, je pouvais y arriver aussi, non ? Dans un grand *glurb !* je me forçai à avaler d'un seul coup ce magma infâme.

– C'est votre activité principale ? m'enquis-je. Cuisiner ?

– On n'a pas de tâches assignées. On fait ce que M. Stench nous demande.

Petal avait répondu à Frank, pas à moi. Sans lever les mains, pour lui dissimuler mes gestes, je fis des signes à mon frère : « Tu lui plais. » Nous avions appris à communiquer comme ça au cours d'une autre mission. Pratique, quand on ne peut pas chuchoter.

Il rougit jusqu'à la pointe de ses oreilles.

– « Elle simule, répondit-il. Elle veut tromper notre vigilance. »

– « Quelle importance ? Elle a un sex appeal d'enfer. »

Avec de rapides mouvements de doigts, il répliqua :

– « Je n'ai pas confiance en elle. »

– « Tu n'as confiance en personne », répondis-je.

C'est vrai. Mon grand frère est d'un naturel soupçonneux. Parfait pour un membre d'ATAC, je suppose. Mais il ne faut pas exagérer !

Moi ? Je me méfie des gens, en général, jusqu'à ce que j'aie une raison de cesser.

– On ne t'a pas remerciée de nous avoir sauvé la vie, dis-je à Petal. On aurait servi de pâture aux vautours, si tu ne nous avais pas trouvés.

J'étais sincère. Mais je voulais aussi rappeler à mon frère que cette fille nous avait rendu un sacré service !

Elle commenta :

– Ravie d'avoir été utile. Profondément ravie.

Et elle coula un long regard vers Frank.

Il avait à peu près retrouvé son teint normal et rougit de plus belle.

– Ah, nous y voilà ! s'exclama soudain Petal. J'ai hâte de vous présenter à M. Stench et aux autres.

J'étais moi aussi impatient de connaître Stench – l'homme mystère. Quelle impression me donnerait-il ?

Lentement, nous dépassâmes une pancarte : PARADIS : ENTRÉE.

8. Le célèbre M. Stench

Paradis : entrée. Je me demandai si c'était vrai. Ou si nous pénétrions dans une sorte d'enfer.

En réalité, les lieux n'évoquaient ni l'un ni l'autre. La communauté n'était qu'un amas informe de tentes plus ou moins grandes, avec une courte rangée de WC et, au loin, une bâtisse en bois sans fenêtres apparentes.

Petal se gara devant la plus vaste tente. Deux garçons d'à peu près mon âge s'avancèrent. Ils se mirent à décharger les cartons du siège sans broncher.

– J'ai à faire, nous dit Petal. Mais M. Stench voudra sûrement vous rencontrer et vous aider à rejoindre votre destination.

Elle me sourit. Joe voyait-il juste ? Est-ce que je lui plaisais ? Je ne suis pas très fort pour interpréter les sourires des filles !

Aucune importance. J'avais besoin de rester objectif. Sur Petal. Sur Stench. Sur la communauté. Nous étions en mission, chargés de découvrir du concret. Alors, je devais me concentrer sur les faits, rien que les faits.

– Enfin, s'il ne vous convainc pas de rester, continua Petal. Un tas de gens le font. C'est le genre d'endroit sur lequel on tombe lorsqu'on est destiné à s'y intégrer.

– Petal, ma petite fleur ! lança une voix, interrompant notre conversation.

Je me retournai et vis un type vêtu d'une combinaison en aluminium, coiffé d'une sorte de haut-de-forme en fer. Des feuilles métallisées pointaient derrière son dos, telles des ailes d'ange mutant.

– Oh, Dorothée ! marmonna Joe, la bouche en coin.

J'essayai de ne pas éclater de rire. Maintenant que Joe me l'avait fait remarquer, je reconnaissais que le nouveau venu avait un faux air de l'Homme en Fer-Blanc, du *Magicien d'Oz*. Il cliquetait de toutes parts.

– Ah ! Solar Man.

Petal l'« étreignit » tant bien que mal. Un tour de force, vu ce qu'il trimballait.

– Qui avons-nous là ? demanda-t-il, désignant Joe et moi d'un mouvement du menton.

– Je les ai trouvés en train d'errer dans le désert, répondit Petal. Alex et JJ, je vous présente Solar Man. Il est ici depuis le début.

Je gravai ça dans un coin de mon esprit : l'Homme solaire serait une bonne source d'informations.

– Tu veux bien t'occuper d'eux ? Je sais que M. Stench voudra leur parler.

– Bien sûr, mon petit brin de fleur, dit Solar Man.

– À plus ! lança Petal à Joe et à moi avant d'entrer dans la vaste tente.

– C'est ça, comme si j'existais pour elle, marmonna Joe.

Il n'arrête pas de se plaindre que les filles me préfèrent. Je n'y comprends rien.

– Le chef est en réunion, nous apprit Solar Man. On ne peut pas le déranger pour le moment. Mais vous pouvez rester avec moi en attendant. Venez, je vais vous montrer mes pénates.

Il n'était guère difficile de deviner quelle était sa tente : il n'y en avait qu'une entièrement couverte de panneaux solaires. Devant, une chaise de jardin toute en feuilles d'alu.

Solar Man la disposa face au soleil. Puis il s'affala dessus avec un soupir. Je cillai : sa combinaison métallique m'envoyait des reflets dans les yeux.

– Que du recyclé, nous dit-il en tapotant sa chaise. J'ai trouvé les matériaux moi-même.

– Vous n'avez pas trop chaud ? s'enquit Joe.

J'avais aussi été tenté de poser cette question à Solar Man, mais j'avais craint qu'il se sente insulté.

Solar Man donna un coups sur un bloc d'alimentation accroché à sa hanche :

– Je stocke de l'énergie, petit frère. Tu ne trouves pas que ça vaut la peine de souffrir un peu pour sauver notre planète ?

Sa voix était douce, mais il avait un regard aigu. Était-il prêt aussi à faire souffrir *d'autres* gens pour préserver la Terre ?

– Si, bien sûr que ça vaut le coup, approuva Joe. Je me demandais seulement comment vous pouvez supporter ça. Nous n'avons marché que quelques heures au soleil, sans panneaux solaires, et nous avons failli y passer.

– Je pratique ça depuis longtemps, j'ai de l'endurance, expliqua Solar Man.

Que voulait-il dire par « longtemps » ? Un an ? Cinq ? Vingt-cinq ? Quarante ? Il avait au moins soixante balais !

– Vous avez commencé quand vous avez rencontré M. Stench ? Ou vous le faisiez déjà avant ? continua Joe.

Solar Man s'agita sur son siège. Il devait être dur de trouver une position confortable, avec ces fichues ailes de métal. Même si elles s'enfonçaient, pour ainsi dire, dans l'alu de la chaise.

– J'étais un dieu du Soleil bien avant de rencontrer Arthur. En fait, c'est grâce à ça qu'on s'est connus. Quand il m'a vu accumuler de l'énergie, il a su que je vivrais dans la communauté. Même si ce n'était qu'un rêve à l'époque.

– Il y a longtemps de ça ? demandai-je en m'asseyant dans le petit coin d'ombre projeté par la tente. Joe se laissa tomber à côté de moi.

– Plus d'un an. D'abord, on a viré de droite à gauche, Arthur et moi, pour trouver ceux qui seraient à leur place ici.

– Et vous les avez trouvés comment ?

– Je l'ai senti *là*.

Solar Man tapa le panneau solaire qui couvrait son torse. Pour signifier, j'imagine, qu'il l'avait senti dans son cœur, non dans le panneau. Mais comment savoir, avec un type pareil ?

– Leur âme parle à mon âme. Certains ont,

comme moi, trouvé par eux-mêmes le moyen de changer les choses.

Il passa légèrement la main sur son haut-de-forme en métal.

– Il y en a beaucoup comme Petal : des jeunes qui ont réalisé que la Terre est en train de mourir, et qui consacrent leur existence à la sauver.

J'échangeai un regard avec Joe. Je savais qu'il se demandait la même chose que moi : Solar Man était-il un doux dingue inoffensif… ou bon à enfermer derrière les barreaux ?

– Arthur a créé cet endroit pour nous, continua-t-il avec un débit de plus en plus accéléré, en élevant la voix à chaque mot. Les autres – les hommes d'affaires, les journalistes, les scientifiques, le président – pensent peut-être que nous sommes cinglés. Mais lui, il comprend que tous les génies passent pour des fous. Il sait que les idées que nous développons ici vont tout changer.

– J'ai hâte de le connaître, affirmai-je.

– Sois patient, petite amarante. Il est très occupé. Mais il t'accordera quand même du temps.

– C'est quoi, cette baraque en bois ? s'enquit Joe. Celle qui n'a pas de fenêtres...

Excellente question. La bâtisse remportait

haut la main le pompon dans la catégorie « cherchez l'erreur ».

– C'est la « Boîte à idée » d'Arthur. C'est là qu'il a ses traits de génie.

– Et il n'y a pas de fenêtres parce que... ? commençai-je, attendant que Solar Man comble le blanc.

Il se leva brusquement et fit cliqueter ses panneaux solaires :

– Vous en posez, des questions !

Mon estomac se contracta. Avions-nous grillé notre couverture ?

– Nous avons l'esprit curieux, dit précipitamment Joe. Nous sommes en recherche.

– Ça me plaît, déclara Solar Man, qui continua en se tournant vers moi : les fenêtres sont une source de distraction, petit frère. C'est pour ça qu'il n'y en a pas chez Arthur. Les gens aussi créent de la distraction. Donc, sa porte a une serrure. Il a besoin de penser au calme.

Intéressante raison pour ne pas avoir de fenêtres et verrouiller sa porte. Ce n'était cependant pas la plus logique.

J'étais de plus en plus curieux au sujet de Stench. Traduction : de plus en plus *soupçonneux*.

– Ah ! la réunion des cerveaux est terminée,

annonça Solar Man. Il désigna une tente de taille moyenne : deux hommes en sortaient, suivis de Petal.

Il se leva et continua :

– Je vais vous conduire. Mais d'abord il faut que je vous fouille. Le chef ne plaisante pas avec la sécurité. C'est nécessaire, quand on veut changer le monde. Voyez ce qui est arrivé à Kennedy. Et à Martin Luther King.

– Nous n'allons assassiner personne, assura Joe alors que Solar Man le palpait.

– Opération de routine. Pas d'exceptions, fit Solar Man. Ça n'a rien de personnel.

Lorsque Solar Man eut fini notre inspection, il nous mena à la tente où la petite réunion venait de prendre fin. « Nous y voilà », pensai-je.

– Il faut que je capte encore les rayons. Entrez, nous dit-il.

L'espace d'un instant, je me surpris à souhaiter qu'il reste avec nous, même si ça me faisait l'effet d'être un petit garçon.

J'écartai le pan de la tente et entrai. Mes yeux rencontrèrent une armoire à glace : un homme massif, grand et large, avec des bras comme des cuissots.

– Mondo est mon garde du corps. Il est toujours à côté de moi.

Mon regard tressauta du malabar à Arthur Stench, qui me regardait. Celui-ci était plus petit que Mondo. Tout le monde l'était.

Il n'y avait cependant aucun doute possible sur le détenteur de l'autorité : c'était cet homme vêtu d'une longue tunique blanche, avec une épée attachée au côté. Il avait l'air d'une sorte de croisement entre Obi-Wan et un samouraï. En dépit d'un début de calvitie, il avait laissé pousser une longue queue de cheval.

– Zarbi chuchota Joe, si bas que je fus seul à l'entendre.

Stench était bizarre, en effet. Proche du ridicule. On aurait presque dit qu'il portait une panoplie – mais son épée n'était pas en plastique ! Et, en lui, quelque chose donnait à penser qu'il n'hésiterait pas à s'en servir.

– Alex et JJ Jefferson. Puis-je vous offrir quelque chose ? demanda-t-il.

Avant qu'un de nous réponde, il virevolta vers la table en bois située à sa gauche, sortit son épée du fourreau et – *fshhhhh, tchak !* – fendit en deux un des ananas qui s'y trouvaient.

J'avais vu juste : il pouvait frapper en deux temps trois mouvements.

Stench rengaina, et fit signe à Mondo. Le garde du corps se prêta à la tâche subalterne de débiter l'ananas en petits morceaux. Il nous les présenta sur des assiettes en bois.

– Vous voyez, Mondo a plusieurs rôles, dit Stench. Petal semble penser que voudriez rejoindre notre famille. C'est vrai ?

– Euh, avant de répondre, puis-je savoir pourquoi vous portez cette épée ? lança Joe, qui fourra un morceau d'ananas dans sa bouche et le suçota.

On peut toujours compter sur lui pour énoncer les questions que nul n'ose poser – si grande envie qu'il ait de connaître la réponse.

Stench dégaina de nouveau, et fit miroiter son arme dans la lumière qui filtrait par les pans de la tente.

– Elle est belle. Élégante. Propre à son office, et rien de plus. Contrairement à la plupart des créations de l'époque moderne.

Il la regarda comme s'il en était amoureux, et continua :

– Je refuse la technologie moderne dans la communauté. Sachez-le. Je l'interdis.

Je me serais senti plus à l'aise s'il avait remisé sa lame. Mais il continuait à la manier, à l'admirer.

– Ici, nous tirons notre subsistance de la terre. Nous vivons en paix les uns avec les autres et avec la planète.

Il fendit l'air avec la lame. Elle produisit un léger sifflement. Il eut un large sourire, qui révéla les couronnes en or de deux molaires.

– Pourtant, des gens viennent parfois ici sans avoir foi dans la paix. Je dois être prêt à les recevoir. Il faut que je puisse me protéger.

Enfin, Stench remit l'épée dans son étui. Je remarquai qu'il n'était pas en cuir. C'était une sorte de plastique épais. Recyclé, j'imagine.

– Avec la protection de Mondo, à quoi bon une épée ? plaisanta Joe.

– Bonne remarque, fit Stench. Mais tu négliges la possibilité que Mondo soit mon agresseur.

Il était paranoïaque, ou quoi ? S'il ne faisait même pas confiance à son garde du corps, alors à qui ?

Stench éclata d'un grand rire brutal. Au bout d'un instant, Mondo se joignit à lui – mais son rire sonnait faux.

– Est-il vrai que vous songez à vous joindre à nous, à Paradis ?

– Nous avons été *guidés* jusqu'ici, répondit Joe. Comme si cet endroit nous appelait. Notre GPS était HS, et nos mobiles ne répondaient plus. La technologie nous a complètement lâchés. Pourtant, on a continué d'avancer. Comme si on allait vers une sorte de Graal.

Quelles inepties ! Je trouvais que Joe y était allé un peu fort – mais Stench hocha la tête d'un air approbateur. Je jouai le jeu, en essayant de paraître aussi déjanté que mon frère :

– Vous êtes destiné à être notre guide. Selon l'expression bouddhiste, « quand l'élève est prêt, le maître apparaît ».

J'avais entendu ça dans un film de kung-fu ; ça me semblait adapté à la situation. Je vis que Stench appréciait. Ce type avait un ego aussi énorme que Mondo !

– Je ne vous aurais pas classés dans notre famille spirituelle, dit-il cependant. Vous êtes un peu trop dans la norme. Un peu trop nets. Un peu trop attachés au monde matériel.

Joe n'aurait pas dû parler de notre GPS et de nos mobiles ! Une chance qu'il ait laissé son blouson de cuir avec nos motos : il aurait fait horreur au chef des mangeurs de tofu.

– C'est ce que nous étions, affirma Joe. Pas ce que nous voulons devenir.

– Les apparences sont parfois trompeuses, enchéris-je.

– Certes, approuva Stench. Que savez-vous sur le pétrole ?

– Pas grand-chose, fis-je en haussant les épaules.

– Il sort de la terre, glissa Joe.

– C'est à cause du pétrole que j'ai créé Paradis. L'utilisation que nous en faisons va amener l'effondrement de la civilisation. Car, bientôt, il n'y en aura plus. Et s'il n'y a pas d'autres solutions – que personne ne semble vouloir développer – le monde moderne prendra brutalement fin. Ici, à Paradis, on attend que chacun contribue à lutter contre cette crise mondiale destructrice. Notre mission est de créer des ressources de substitution au pétrole.

Cela expliquait pourquoi il avait sélectionné Solar Man : ce dernier n'en avait que pour l'énergie alternative.

– Puis-je attendre cela de vous ? conclut Stench.

Nous devions fournir une réponse satisfaisante. Il fallait qu'il nous autorise à vivre dans la communauté.

– Les éoliennes ! lâchai-je. Le vent comme source d'énergie, voilà ce qui nous fascine.

– Je veux être fermier éolien ! affirma Joe.

– Parfait, approuva Stench. Excellent ! Mondo, demande à Dave de montrer aux garçons la douche et les couchages.

Il se tourna de nouveau vers Joe et moi :

– Je pense que vous vous intégrerez très bien. Restez aussi longtemps qu'il vous plaira.

Restez même toujours ! Ce que vous laissez derrière vous ne mérite aucun regret.

Mondo s'avança dans l'entrée de la tente et siffla. Un des jeunes qui avaient aidé au déchargement du camion apparut. Mondo lui donna des instructions à voix basse.

– Venez avec moi, nous dit le garçon – Dave, j'imagine. Il paraît que vous voulez vous doucher ? continua-t-il alors que nous le suivions dehors. C'est le meilleur moment de la journée pour ça : l'eau chauffe depuis le lever du soleil.

Quarante minutes plus tard, douchés et nourris (du tofu, malheureusement), nous étions dans notre propre tente.

– Alors, en dehors de le trouver « zarbi », que penses-tu de Stench ? demandai-je à Joe.

– Je ne sais pas encore, soupira-t-il en se renversant sur le dos. Il est bizarre, c'est sûr. Mais il accomplit de bonnes choses. Il se pourrait très bien qu'un pensionnaire de la communauté mette au point une source d'énergie de substitution.

– Ça se peut, admis-je. Mais Stench ne m'inspire pas confiance.

Joe ricana :

– Tu ne fais confiance à personne, Frank.

– Eh bien, à lui, encore moins !

Joe

9. Mission surprise

– Gloire du matin, bonjour ! claironna Frank à mon oreille.

– Bonjour, tante Trudy, dis-je sans ouvrir les yeux. Vas-y, jette moi de l'eau glacée sur la tête. Ce serait génial.

Frank rigola :

– Oui, hein ? Mais je préfère la boire. Elle ne doit pas être empoisonnée, puisque nous sommes toujours vivants.

Je me redressai :

– Le soleil nous a peut-être un peu trop tapé sur la tête, hier. Ça a pu nous fausser les idées.

– Possible. Allons nous balader. Je veux me

rendre compte par moi-même, sans être accompagné d'une escorte.

J'enfilai mon jean. Le contact du tissu épais était insupportable. À dix heures du matin, le désert était déjà une rôtissoire.

La tunique adoptée par Stench était sûrement la tenue idéale dans cette fournaise. Mais n'allez pas en déduire que je rêvais de me balader en chemise de nuit !

Frank en tête, nous sortîmes, longeant une rangée de tentes.

– On se croirait à Colonial Williamsburg, dis-je.

Colonial Williamsburg est une ville de Virginie où nous sommes allés en vacances, une fois. On la qualifie de musée vivant parce que ceux qui y habitent se comportent comme s'ils étaient encore au XVIIIe siècle. On n'y trouve rien de moderne.

La communauté y ressemblait. Elle n'était pas coloniale, les gens n'étaient pas habillés bizarrement. Mais on n'y voyait aucun équipement high-tech.

Du coup, c'était drôlement calme : pas de télés en marche, pas de CD à plein volume.

Nous dépassâmes un homme qui se servait d'une épine de cactus pour repriser une chemise déchirée. Une adolescente balayait devant sa tente avec une feuille de palmier.

– À quoi ça sert, de balayer la poussière ? lui demandai-je.

Je me moquais bien de la réponse. C'était juste pour parler. Elle avait de longues tresses blondes, magnifiques. Et des yeux verts. Les yeux verts me font craquer.

– Il y a pas mal de sales bestioles qui rampent dans les parages, répondit-elle.

Son regard alla de moi à Frank, et s'attarda sur lui.

– Je les aime, bien sûr. Et nous partageons la Terre à égalité. Tout ce que je demandc, c'est qu'elles ne partagent pas ma tente !

– Je ne suis pas une sale bestiole, fis-je. Dois-je en conclure que je suis le bienven…

– Hé, les gars !

Ce cri m'avait interrompu. Mais bon, aucune importance. Ce n'était pas comme si je m'attendais réellement à partager la tente de la fille.

Je me retournai et j'aperçus Dave un peu plus loin. Il essorait un pantalon à l'aide d'une essoreuse à manivelle. L'excédent d'eau s'écoulait dans un seau placé dessous.

– Salut, Dave ! lança Frank, s'avançant vers lui.

– À plus ! lançai-je à la fille aux tresses, qui m'adressa un signe d'au revoir. Appelle-moi si tu as besoin d'un coup de main pour balayer. On est voisins.

– Vous restez ici *tous les deux* ? s'enquit-elle.

Traduction : tu ne m'intéresses pas du tout ; mais, pour ce qui est de ton frère, c'est une autre histoire...

– Oui, répondis-je.

Puis je me hâtai de suivre Frank. Inutile de perdre mon temps avec Miss Tresses. Elle avait déjà choisi.

– Pas la peine de demander comment vous avez dormi, commenta Dave lorsque nous le rejoignîmes.

Il flanqua le pantalon dans un panier tressé. Puis il prit un T-shirt dans le baquet près de lui, et se mit à l'essorer.

– Je crois bien m'être endormi avant d'avoir posé ma tête sur l'oreiller, dit Frank.

– Vous avez manqué le breakfast, mais il reste sûrement des muffins au rutabaga dans la grande tente. C'est le réfectoire. Vous pouvez aller vous servir, si vous voulez.

À l'idée de manger du rutabaga, mon estomac se révolta.

– Oh, je vais attendre le déjeuner, fis-je.

– Moi aussi, enchaîna Frank. Alors, il y a longtemps que tu es ici, Dave ?

Dave montra la paume de sa main – celle qui maniait l'essoreuse.

– On peut dire depuis combien de temps quelqu'un vit ici rien qu'en regardant ses mains. J'ai encore des ampoules, donc je suis nouveau. Si vous voyiez les cals qu'ont certains garçons ! Et les filles aussi.

Il laissa tomber le T-shirt sur le tas de vêtements humides, et demanda :

– Alors, vous restez ?

– Un moment, dit Frank. Au moins.

– On a l'impression d'avoir trouvé un foyer, ajoutai-je. Je voudrais te demander conseil. Comment apprend-on aux parents qu'on s'installe ici ? Tu l'as fait, toi ? Tu comprends, je ne vois pas comment éviter que nos parents piquent une crise.

J'essayais de savoir si Dave était un fugueur. Il répondit :

– Ce sont eux qui m'ont fait venir. M. Stench a convaincu maman que c'était un bien meilleur endroit pour effectuer ses recherches.

– Ça a dû être moche pour toi. Être forcé de quitter tes copains et tout ça…

Si Dave était mécontent d'être ici, nous en tirerions peut-être des informations intéressantes. Les gens malheureux ont tendance à déblatérer.

Il reconnut :

– Au début, oui. Mais il y a plein de gens cool, ici. Et j'aimerais bien être sur une planète où il fera bon vivre, quand j'aurai l'âge de mes parents. Ce qui signifie qu'il faut changer les choses.

Il retira le seau de sous l'essoreuse et jeta l'eau dans le baquet.

– On l'économise le plus possible. Elle servira pour le jardin.

Je n'avais vu aucun point d'eau pendant notre marche vers le domaine. Et pourtant j'en avais cherché ! Je me demandai d'où ils la tiraient.

Frank voulut savoir :

– Alors, ta mère est une des personnes qui cherchent à développer des sources d'énergie alternative ?

– Oui. Vous voulez voir ? proposa Dave, prenant le panier plein de vêtements.

– Et comment ! fis-je.

Il nous emmena derrière sa tente. Il laissa tomber le panier aux pieds d'un petit homme maigrichon qui suspendait le linge à une corde.

– J'ai fini, P'pa. J'emmène ces garçons au labo de maman. Ils envisagent de se joindre à nous.

– Bienvenue, dit le père de Dave.

Les gens étaient si chaleureux, ici ! Enfin, Mondo excepté. Mais un garde du corps n'est pas censé se montrer amical. Je me voyais bien vivre dans cet endroit. Sauf pour ce qui était de la nourriture.

– Hé, M'man ! Tu as des visiteurs ! lança Dave en nous faisant entrer dans une tente plus vaste, de l'autre côté du linge suspendu.

Je crus que j'avais des visions. L'intérieur ressemblait à notre labo de chimie du lycée, mais avec encore plus d'équipements. Et aucun n'était bricolé avec des brindilles, des épines de cactus ou des feuilles de palmier !

– M'man, je te présente Alex et JJ, dit Dave.

Il ajouta en se tournant vers nous :

– Ne lui en voulez pas si elle oublie vos prénoms. C'est le modèle de la chercheuse distraite, genre professeur Tournesol. Les trois quarts du temps, elle ne se rappelle même pas comment je m'appelle !

– C'est faux ! protesta la mère de Dave – mais je remarquai qu'elle portait des chaussures dépareillées.

– Vous travaillez sur quoi ? s'enquit Frank.

Mon frère est un mordu de sciences. Je suis sûr que ça le démangeait de tripoter le matériel installé sur les longues tables.

– Maman vient de mettre au point ce générateur d'eau, expliqua Dave, très fier. Avant son arrivée, tous les gens de la communauté devaient se rendre à une source souterraine à plus de douze kilomètres d'ici pour puiser de l'eau.

– Ce n'est pas sorcier d'inventer, précisa sa mère. Chacun sait que l'eau se compose d'hydrogène et d'oxygène, et il n'y a rien de plus courant que ces deux éléments. Il suffit d'avoir de l'énergie pour les combiner – solaire, éolienne, ce qu'on voudra – et on obtient H_2O.

– Et vous parvenez à produire assez d'eau pour tout le monde ici ? s'enquit Frank.

– Eh bien, nous en recyclons autant que possible.

– Mais la réponse est oui, glissa Dave.

– Janet !

Un homme grassouillet avec une chevelure blanche indisciplinée à la Einstein fit irruption. Il portait un T-shirt à l'effigie du savant, sur le devant duquel était imprimée la citation : LES GRANDS ESPRITS ONT SOUVENT RENCONTRÉ L'OPPOSITION FAROUCHE DES ESPRITS MÉDIOCRES.

La coiffure à la Einstein n'avait donc rien d'un hasard. Allais-je lui dire que c'était le cerveau, pas la dégaine, qui faisait d'Einstein un génie ?

– Janet, il faut que tu viennes voir la machine. Je crois que j'y suis presque, énonça Einstein bis à la mère de Dave.

Il se tourna vers Frank et moi :

– Le mouvement perpétuel. Le secret réside dans les aimants. Qui aurait pu penser que c'était si simple ?

– Les choses doivent être aussi simples que possible, mais pas plus simples, énonça Frank.

Euh, pardon ?

Einstein bis lui donna une claque sur l'épaule :

– Oui ! Précisément ! Je vois qu'il y a un admirateur passionné parmi nous !

Oh ! Pigé. Frank venait d'aligner une citation d'Einstein. Eh oui, mon frère est capable de citer Einstein ! Je vous disais bien que c'est un mordu de sciences.

– Suis-moi ! lança Einstein bis en entraînant la mère de Dave.

Frank s'approcha d'une table.

– Ma mère n'aime pas qu'il y ait des gens ici en son absence, observa Dave. Revenez plus tard. Elle vous fera visiter.

– Ce serait super, dit Frank.

Laissant Dave et son père achever leur lessive, nous continuâmes à explorer les lieux.

Des effluves de cuisine au four nous attirèrent du côté du réfectoire. Ce qui était en train de cuire ne sentait pas le rutabaga. Le tofu non plus. D'ailleurs, le tofu n'a ni odeur… ni goût.

Il ne nous fallut pas longtemps pour trouver la source de l'odeur : une rangée de petits pains était en train de dorer sous un réseau de verres grossissants.

– Ingénieux ! commenta Frank. Cuisine à l'énergie solaire. Pas d'électricité.

– Pourquoi ils ne font pas un feu, tout simplement ?

– Tu voudrais qu'on aille couper des arbres ? Qu'on brûle l'une des plus grandes ressources naturelles de notre planète ? demanda une voix familière.

Je me retournai : Petal était là.

– Ben, oui, fis-je.

Frank, qui cherchait à me sauver la mise, observa :

– Ce n'est pas aussi grave que de brûler du combustible fossile. Ça ne nuit pas à la couche d'ozone.

– Exact. Mais les arbres régulent le climat. Ils améliorent la qualité de l'air et retiennent l'eau. Et les animaux dépendent d'eux pour se nourrir et avoir un abri.

Petal se rapprocha de Frank et posa une main sur son bras :

– Ils sont bien trop précieux pour être sacrifiés alors qu'il y a tant d'autres sources d'énergie.

– E-exact, balbutia Frank.

Oui, il a balbutié ! Il peut descendre en rappel la façade d'un immeuble en flammes, sauter du haut d'un avion sans parachute. Mais il est incapable d'aligner trois mots devant une jolie fille.

Et Petal était particulièrement jolie. Elle avait ramassé ses boucles rousses au sommet de son crâne, en queue de cheval à la Pierrafeu. C'est juste un avis personnel, ou Pebbles est vraiment sexy ? Pour un personnage de dessin animé, je veux dire.

Frank – il faut croire que sa langue s'était déliée – s'enquit :

– Alors, ça sert à quoi, cet arc et ces flèches ? À chasser le tofu ?

J'ai tort de me moquer de mon frère. Je n'avais même pas remarqué que Petal avait un carquois plein à l'épaule et un arc dans une main. J'étais obnubilé par ses boucles rousses.

– Nous ne chassons pas, dans cette communauté. Vous avez dû remarquer que nous ne mangeons pas de viande.

Si j'affirmais que oui, ça vous étonnerait ?

– M. Stench pense qu'on ne doit pas se nourrir d'un être qui a un visage. Moi aussi.

– Alors, pourquoi cet arc et ces flèches ? insistai-je, répétant la question de Frank.

– Pour m'amuser. Vous voyez ce ballot de foin, là-bas ?

Sans attendre de réponse, Petal arma son arc et tira. Elle atteignit le ballot en plein milieu.

Aussitôt, elle mit une autre flèche en place. J'entendis vibrer la corde : *tchac !* La deuxième flèche fendit en deux la précédente.

C'était encore mieux que l'assaut de Stench contre l'ananas.

– Vous voulez essayer ? proposa-t-elle.

Un gong sonore m'empêcha de m'exclamer : « Et comment ! »

– C'est l'heure d'aller en ville avec M. Stench, annonça Petal.

Stench quittait la communauté. Bingo ! Nous allions pouvoir fouiner pour de bon, Frank et moi. Peut-être entrer dans cette fichue « Boîte à idées » fermée à double tour.

Petal posa l'arc et le carquois contre la tente.

– Il veut que vous veniez avec nous, dit-elle. Suivez-moi. Il déteste qu'on le fasse attendre.

Nous n'avions pas le choix, c'était clair. Frank, Petal et moi nous hâtâmes de gagner la « Seussmobile » et de monter dedans. Dave et un ou deux garçons que nous n'avions pas encore rencontrés étaient déjà installés à l'arrière. Stench tenait le volant. Mondo avait un fusil.

Je me faufilai entre plusieurs pots de peinture, et m'assis. Je remarquai que Petal prenait place à côté de Frank.

Les membres de la communauté semblaient tirer leur subsistance de la Terre ; mais il fallait bien qu'ils achètent certaines choses. Du matériel pour les labos, par exemple.

– Alors, qu'est-ce qu'on va faire en ville ? demandai-je à Petal.

Stench répondit à sa place :

– Accomplir une mission. Ne vous inquiétez pas, vous allez vous amuser. Vous pouvez me croire.

Une *mission* ? Ça ne me disait rien qui vaille. Que projetait Stench, exactement ?

10. Splash !

La fourgonnette heurta une bosse. Petal fut renvoyée contre moi – et y resta ; elle pressa son épaule contre la mienne.

Joe leva les yeux au ciel. Je n'avais pourtant pas encouragé Petal *Northstar*. D'abord, je me voyais mal sortir avec une fille qui s'appelait « Étoile polaire » ! Surtout que je la soupçonnais d'avoir choisi ce nom elle-même.

Mais il y avait plus important : Petal était suspecte. Et on ne peut pas s'impliquer affectivement avec une suspecte. C'est la règle numéro un quand on lutte contre le crime.

– Comment sais-tu que ça n'affecte pas la

couche d'ozone, de brûler du bois ? me demanda-t-elle.

Ce n'était pas une question difficile. Mais mon problème avec les filles revenait sur le tapis. Pour commencer, je rougis, ce qui est déjà assez gênant comme ça. En plus, ma langue semble tripler de volume, et je peux à peine dire « A ». Quant à mon cerveau, il tourne au ralenti. Alors, même si j'arrivais à parler, je ne pourrais rien dire d'humain !

– Alex est un mordu de sciences, glissa Joe.

« Merci, Joe. » Sympa de me faire passer pour un taré. Une réponse comme ça, j'aurais pu la trouver tout seul !

– À une époque, j'ai eu le béguin pour Bill Nye, vous savez, le Monsieur Science de la télé, affirma Petal.

Et elle rougit. Sur elle, c'était charmant. Ses joues prenaient un joli rose.

– Je sais, il est ridicule avec son petit nœud papillon et le reste. Mais j'aimais bien quand il s'emballait en parlant de sciences. Il est si passionné !

Je me déplaçai, pour mettre un peu de distance entre elle et moi. Elle tira parti d'un nouveau cahot pour se rapprocher.

Joe poussa un soupir prolongé et très sonore.

– On sera bientôt arrivés, dit Dave, se méprenant sur ce soupir.

Bientôt arrivés. Ces mots me firent presque oublier Petal. La mission – quelle qu'elle fût – se précisait !

Je levai les yeux vers Stench. Il semblait calme et satisfait, mais il n'avait pas quitté son impressionnante épée.

La fourgonnette roula plus en souplesse lorsqu'elle eut quitté le chemin de terre pour emprunter une route pavée. Quelques instants plus tard, nous entrions dans une petite ville.

Nous dépassâmes un parc avec une gloriette blanche au centre, puis tournâmes dans la rue principale. Des boutiques s'y alignaient de part et d'autre. Je repérai une épicerie, un cinéma, un drugstore, quelques boutiques de prêt-à-porter.

Stench se gara sur une place de stationnement libre.

– Préparez-vous, nous enjoignit-il. J'ai un achat à faire. On y va dès mon retour.

Il descendit de la fourgonnette. Mondo aussi.

J'entendis au-dehors quelqu'un qui disait :

– Génial, ils sont revenus.

Dave s'accroupit près d'un pot de peinture, et fit sauter le couvercle à l'aide d'un couteau suisse. À l'intérieur, il y avait de la peinture rouge vif. Il passa au pot suivant : encore du rouge.

Joe lança :

– Alors, c'est quoi, cette mission ? Je suis prêt pour la rigolade !

Je le connaissais trop bien pour ne pas deviner que son enthousiasme était feint. Mais je parie que les autres s'y laissaient prendre. Joe est un agent de premier ordre.

– Tu vas être soufflé, petit frère, lui dit Solar Man. Contente-toi de suivre le mouvement. La première fois est tellement meilleure comme ça.

– Cool, fit Joe.

Qu'aurait-il pu dire d'autre ?

– Rentrez chez vous, cinglés de hippies ! cria un homme qui passait devant la fourgonnette.

Et il abattit son poing contre le pare-brise. Brutalement. La fourgonnette tangua. De la peinture se répandit sur le sol. L'odeur m'emplit les narines.

– Le chef revient ! annonça Solar Man.

Une seconde plus tard, la portière avant s'ouvrait. Stench posa un sac en kraft sur le siège.

– On se bouge ! ordonna-t-il.

Petal fit glisser la portière coulissante. Elle saisit un pot ouvert et descendit. Je cherchai du regard les rouleaux et les pinceaux, et n'en vis aucun. Je commençais à me douter de ce qui se préparait. Et je n'aimais pas ça !

Solar Man s'empara d'un pot à son tour, puis rejoignit Petal. Dave donna des pots à Mondo et à Stench, en prit un pour lui, et sauta à terre.

– J'en ai pour vous aussi, dit-il à Joe et à moi.

Munis de nos récipients, nous nous joignîmes au groupe, niché entre la fourgonnette et un SUV garé juste à côté.

– Alex et JJ, vous n'avez qu'à faire comme les autres, nous indiqua Stench.

Il reporta son attention sur la rue. J'entendis des pas et des voix : des gens approchaient.

– Maintenant ! cria Stench.

Il s'élança sur le trottoir, leva le pot de peinture et balança son contenu sur une femme qui portait un sac en cuir.

– Laissez vivre les animaux ! hurla-t-il. L'industrialisation, c'est le mal !

– Assassin, assassin ! s'écria Dave, s'élançant vers un homme avec des mocassins en croco, et lui aspergeant les épaules avec la peinture rouge.

– Ceci est leur sang ! brailla Solar Man, qui entra dans la danse.

D'une seule giclée, il réussit à inonder une

femme et sa petite fille. Petal, juste derrière lui, était prête à répandre sa peinture sur le premier innocent venu.

J'échangeai un regard avec Joe. Nous n'avions pas le choix.

Je franchis le trottoir d'un bond et expédiai ma peinture à l'endroit où s'étalait déjà une flaque rouge :

– Tueurs d'animaux !

Joe fit mine de trébucher, et renversa son pot tout droit dans le caniveau.

– Retraite, retraite ! cria Stench.

Je revins sur mes pas en courant, avec les autres.

Deux ados nous barrèrent la route. Le plus petit fit un pas en avant :

– Attrapez ces cinglés d'écolos !

11. Sauve qui peut !

Un troisième garçon se joignit à Balèze et Maigrichon – et j'entendis se rapprocher d'autres pas précipités. D'ici quelques instants, le groupe de la communauté serait sans doute surpassé en nombre.

Je doutais qu'un des trois anti-écolos soit disposé à admettre que Frank et moi n'avions jeté de peinture sur personne ; et que nous connaissions à peine les vandales.

Il n'y avait donc qu'une solution.

– Fichons le camp ! hurla Dave.

Eh oui, c'était ça, la solution.

Mondo entraîna Stench le long du trottoir vers la droite. Dave et Solar Man partirent à gauche. Frank, Petal et moi nous élançâmes dans une ruelle entre le drugstore et une boutique de jouets anciens.

La ruelle s'achevait en cul-de-sac au pied d'une bâtisse.

Mais au moins il y avait une porte. Je saisis la poignée à deux mains, et tournai. Sans résultat.

Petal vint près de moi et cogna à la porte. Je jetai un regard par-dessus mon épaule. Nous n'avions pas le temps d'attendre qu'on nous ouvre.

Maigrichon et deux nouveaux – je les appellerai Rougeaud et Crâne rasé – arrivaient sur nous.

– On monte ! cria Frank.

C'était la seule issue possible. Me servant du bouton de porte comme d'un étrier, je pus m'élever suffisamment pour agripper la gouttière. Elle craqua sous mon poids alors que je grimpais sur le toit. Je pressai Petal :

– Vite ! Vite !

Je me jetai à plat ventre et lui tendis le bras. Frank réunit ses mains pour lui permettre d'y poser son pied et lui donner de l'élan. Je la saisis par les poignets et la hissai à côté de moi. Ensuite, Frank escalada à son tour la gouttière.

Elle supporta son poids. De justesse.

J'espérai qu'elle ne tiendrait pas pour Maigrichon et Cie – car ils nous auraient bientôt rejoints : Rougeaud posait déjà un pied sur la poignée de la porte.

– Bougeons-nous ! cria Petal en nous voyant réunis au sommet de l'édifice.

Elle se redressa et traversa le toit en courant ; parvenue au bord, elle n'hésita pas : elle bondit sur le toit le plus proche.

Frank et moi étions juste derrière elle. Les *boum, boum, boum* que j'entendais révélaient que nos poursuivants nous talonnaient.

– Attrapez ces mutants ! cria l'un d'eux.

Je ressentis une vive douleur au creux du dos. Un de ces salopards venait de me jeter une pierre !

– Par ici ! brailla Frank.

Il obliqua.

– Saute ! ordonna-t-il.

Il se jeta dans le vide.

Je ne réfléchis pas. Je le suivis.

Je tombai non pas sur le trottoir, mais – *badaboum !* – en plein sur la fourgonnette ! Une seconde plus tard, Petal atterrit pratiquement sur moi.

Non, mais on me prend pour un matelas mousse ou quoi ?

D'une main, je m'agrippai fermement à un

panneau solaire. De l'autre, je saluai Maigrichon, Crâne rasé et Rougeaud. Comme la fourgonnette tournait à l'angle, je dis à Frank :

– Ils vont me manquer.

Frank ne rit pas. Qu'est-ce que je vous disais ? Il n'a aucun humour.

La fourgonnette ralentit, puis s'arrêta.

– C'était dément ! s'écria Dave en ouvrant la porte coulissante.

Frank, Petal et moi dégringolâmes du toit pour monter à l'intérieur. Je refermai la portière sur nous, et nous partîmes.

– Intéressant, dit Stench, qui semblait impressionné par l'attitude des ados de la ville.

« Ben voyons », pensai-je. « Vraiment intéressant. » Nous avions réussi à échapper à des jeunes écœurés de nous avoir vus expédier de la peinture sur des innocents. Ce n'était pas comme si Maigrichon, Balèze et Cie n'avaient pas eu une bonne raison de s'en prendre à nous ! En un sens, les bons, c'étaient eux !

Et Frank et moi étions avec les méchants. Nous n'avions jeté de peinture sur personne, certes. Mais nous étions là. Nous n'avions rien tenté pour empêcher ça. Tout était allé si vite !

D'ailleurs, si nous l'avions fait, ça aurait grillé notre couverture.

Impossible de se sentir bien, après ce qui

s'était passé. Mais nous avions adopté la meilleure ligne de conduite possible.

Je jetai un coup d'œil vers mon frère. Petal s'était de nouveau blottie contre lui – et il avait l'air plus que pressé de s'écarter d'elle. Je ne la trouvais plus aussi cool. Pas après l'avoir vue expédier la peinture.

Une demi-heure plus tard, nous étions de retour dans la communauté, juste à temps pour le déjeuner : épinards et galettes de tofu accompagnés de laitue.

Jamais je n'avais trouvé la laitue aussi bonne ! J'en pris une deuxième platée et passai le saladier à Einstein bis, assis à côté de moi sur le tapis en feuilles de palmier.

– C'est bien que tu apprécies les panneaux solaires, dit-il à Solar Man. Mais ce n'est pas une solution d'avenir. Je parie sur l'énergie géothermique. Il y a une énorme chaleur au cœur de notre planète, qui ne demande qu'à être transformée en vapeur.

Petal approuva, depuis sa place près de Frank :

– La Mère Terre est prête à nous pourvoir. Avec les turbines adéquates, on peut faire marcher à la vapeur pratiquement ce qu'on veut.

– Pourquoi aller chercher au centre de la

Terre ce qui se trouve juste au-dessus de nos têtes ? argumenta Solar Man. Inutile de creuser pour avoir ce que fournit le Père Soleil.

La Mère Terre et le Père Soleil. Qu'on m'étouffe avec une galette au tofu !

Le père de Dave mit son grain de sel :

– Ce qu'il nous faut, c'est davantage d'éoliennes. Je ne suis pas un scientifique comme Janet, mais je pense que le vent est la solution. Il y a des hectares et des hectares de terre qui pourraient être consacrés à la production d'énergie éolienne.

– Le problème dans ce domaine, c'est l'absence d'infrastructures, observa Janet.

– Alors, créons-les pour obtenir l'énergie nécessaire là où il y en a besoin, dit son mari.

Un homme en longue tunique comme Stench suggéra :

– Il y a toujours l'hydroélectricité. Le mouvement des marées peut produire de l'énergie.

– Pourquoi ne pas utiliser *tous* ces moyens ? proposa Petal. Le soleil, l'eau, la chaleur naturelle de la Terre, le vent. Tout sauf du pétrole.

À ce mot, ce fut un déchaînement. Impossible de démêler qui disait quoi : « Du gâchis ! » « Une catastrophe pour la couche d'ozone ! » « Un polluant ! »

Stench vint voir ce qui provoquait ce raffut, et intervint en tonnant :

– L'utilisation du pétrole amènera la destruction de la civilisation !

Tous les visages se tournèrent vers lui.

– Le pétrole nous rend esclaves ! continua-t-il. Esclaves des pays qui en produisent le plus. Et chaque goutte de pétrole utilisée nous rapproche de l'anéantissement de la Terre !

Solar Man manifesta bruyamment son approbation. Tous applaudirent. Je fis comme eux, et Frank aussi.

– Mais ils refusent de le voir, n'est-ce pas ? lança Stench, dépassant notre groupe pour arpenter le réfectoire. Nous nous tuons à le leur répéter, mais ils ne veulent pas entendre !

Il écarta les bras :

– Nous essayons de sauver leurs vies, et ils nous traitent de fous. Alors, que faire ?

Tout le monde semblait s'être arrêté de respirer. Le silence régnait dans la vaste tente. Nous attendions la suite.

– Nous allons leur donner un avant-goût, voilà ! Un avant-goût de la destruction future ! Une seule chose retiendra leur attention : la souffrance ! poursuivit enfin Stench. Quand ils auront mal, ils changeront ! Et le monde sera sauvé !

Il y eut d'autres applaudissements. Personne ne s'inquiéta de savoir de quelles formes de souffrance et de destruction il parlait. Personne ne suggéra un autre moyen de faire passer le message.

Il se mit à aller et venir encore plus vite :

– J'ai un projet ! Vous aurez tous la chance d'y jouer un rôle le moment venu. Et cela ne va pas tarder ! Alors, soyez prêts ! Restez forts. Vous aurez des tâches à accomplir lorsque l'heure sonnera. Vous serez ceux qui auront sauvé notre précieuse planète ! Nous serons...

– Faut que j'aille faire pipi, me chuchota Frank.

– Moi aussi.

Contrairement aux filles, les garçons ne vont pas ensemble aux toilettes. Mais personne ne parut trouver notre sortie bizarre. Ils étaient tous trop captivés par leur mentor. Restant au ras des tatamis – et hors de vue de Stench – nous nous esquivâmes.

– J'ai pensé que c'était l'occasion d'explorer, me dit Frank une fois que nous fûmes hors de portée. Stench a l'air lancé pour un moment. Et il est évident qu'il ne donnera aucune information précise sur son projet.

– Tout ce baratin sur la souffrance et la

destruction ! Il faisait allusion à quelque chose de plus radical que de jeter de la peinture sur les gens.

– Oui ! Il a perdu les pédales. Je le crois capable de tout.

– Tu penses qu'il a réellement un but ? Ou que c'est du vent ?

– Nous devons justement le déc...

– Chuuut ! soufflai-je, saisissant Frank par un bras pour l'amener à s'accroupir près de moi. C'est Mondo.

Le garde du corps de Stench fermait le pan d'une vaste tente. Il se dirigea vers la rangée de WC.

– C'est la première fois que je le vois loin de Stench, commentai-je.

– Donc, ce qui se trouve dans la tente est important, déduisit Frank. Elle est trop grande pour que Stench y dorme ! Allons voir !

Nous attendîmes que Mondo entre dans une cabine et referme la porte. Puis nous courûmes jusqu'à la tente. Je dénouai le pan, et nous entrâmes.

– Je veux bien être pendu si ce truc fonctionne à l'énergie solaire, commenta Frank.

Moi, j'étais incapable de parler – ce qui ne m'arrive pour ainsi dire jamais ! Je parvins enfin à énoncer :

– Un hélicoptère ! Pourquoi Stench en a-t-il besoin ?

– Pour les urgences, peut-être ? Pour emmener quelqu'un à l'hôpital en cas de nécessité ?

Frank s'avança jusqu'au cockpit et ouvrit la porte :

– Viens voir un peu.

Je n'avais toujours pas digéré qu'on ait trouvé un hélicoptère dans ce repaire anti-technologie. Ils n'avaient même pas de machines à laver ! Ni de télés ! Et Stench, lui, possédait un hélicoptère ?

– Qu'est-ce que tu attends ? insista Frank.

J'accourus et jetai un coup d'œil dans le cockpit : anémomètre ; système de navigation Doppler ; tachymètre.

– Tu ne remarques rien de bizarre ? fis-je.

– C'est-à-dire ?

– Il n'y a pas de manche à balai !

– Exact. On ne peut pas le faire voler !

– Je peux vous aider, les garçons ?

Je fis volte-face : Mondo se tenait dans l'entrée. Pour un type aussi lourd, il était sacrément silencieux.

J'eus l'impression que mon cerveau tournait en rond comme une souris de laboratoire. Il fallait un prétexte pour expliquer notre présence – mais je n'en trouvais aucun ! Qu'on cherchait les WC ? Non. On ne peut pas confondre une tente et des cabinets !

Frank énonça avec un calme parfait :

– La mère de Dave nous a invités à visiter son labo.

Mais je savais qu'il devait baliser autant que moi.

– Janet ne vous a pas donné de très bonnes indications. Il est à quelques tentes de la vôtre.

– On s'est repérés à la taille, glissai-je. On a pensé qu'il se trouvait dans la plus grande tente. En dehors du réfectoire, je veux dire. Et lui, on sait où il est.

« Basta », m'intimai-je. Quand on ment, mieux vaut ne pas trop en rajouter. Ce serait le meilleur moyen de s'attirer des ennuis.

Mondo passa une main sur ses cheveux en brosse. Nous croyait-il ? Et que faire, si ce n'était pas le cas ?

– Retournez dans votre tente, nous intima-t-il.

Étions-nous assignés à résidence ?

Il continua :

– Nous prenons tous une heure de repos au milieu de la journée. Une sieste, c'est excellent pour tenir le coup dans le désert. Vous rendrez visite à Janet plus tard.

– Une sieste ? Bonne idée, fit Frank.

Nous dépassâmes le garde du corps et sortîmes en vitesse pour gagner notre tente. Les explorations, ce serait pour une autre fois !

Je m'affalai sur mon sac de couchage et commentai :

– Cet hélicoptère est louche. Stench l'a forcément fait fabriquer exprès. Pourquoi ? Que fait-on avec un hélicoptère sans manche à balai ?

– Les réponses qui me viennent ne sont pas réjouissantes : larguer une bombe sans mettre un pilote en danger ; répandre des produits chimiques toxiques...

– ... ou de l'essence pour mettre le feu : souffrance et destruction.

– On a intérêt à régler cette affaire très vite, déclara Frank en s'allongeant à plat ventre, les mains glissées sous son oreiller. Nous ignorons à quel moment Stench repassera à l'action.

Il fronça les sourcils et se redressa.

– Qu'est-ce qu'il y a ? demandai-je.

– On a mis un truc sous mon polochon !

12. En flammes

– Quoi ? me demanda Joe.

Je sortis une feuille de papier pliée, l'ouvris et lus à voix haute :

– « Fouillez la maison de Stench. »

Joe m'arracha le billet et le scruta :

– Pas de signature. Mais, au moins, on a un allié.

– C'est à voir.

Joe tranche vite. Je préfère prendre le temps de réfléchir.

– Tu penses qu'il peut s'agir d'un piège ?

– Je pense que je ne fais confiance qu'à une seule personne, ici : toi.

– Quoi qu'il en soit, nous devons jeter un

coup d'œil chez Stench, piège ou pas, dit Joe en me rendant le message anonyme. Cette fichue baraque sans fenêtres et verrouillée est l'endroit tout désigné pour abriter des informations sur un projet secret.

– C'est sûr.

– Tu as apporté des outils à crocheter? demanda Joe, allongeant la main vers mon sac.

– Ils sont là-dedans, oui. Mais j'ai dans l'idée que Mondo va nous avoir à l'œil. Il faudra soigneusement choisir notre moment.

– Si seulement Stench ne nous avait pas emmenés en mission! se désola Joe. Lui et Mondo partis, c'était l'occasion idéale de tenter une petite effraction.

– J'ai réfléchi à cette histoire. Je parie que Stench emmène tous les nouveaux en mission dès que possible, pour s'assurer qu'ils sont bien de son bord.

– Ou pour *en faire* des gens de son bord. On n'a pas vraiment participé...

– Mais on a l'impression que oui, achevai-je.

Nous attendîmes la fin de la sieste. Si Mondo nous surveillait, il constaterait que nous suivions ses instructions. Dès que l'heure fut écoulée, nous sortîmes. Je regardai s'il était dans les parages, et ne le vis nulle part.

En revanche, Petal se précipita vers nous.

Avait-elle guetté nos allées et venues? Quelqu'un le lui avait-il demandé ? Mondo, par exemple ? C'était bizarre qu'elle arrive si vite.

« Ici Joe. Je dois intervenir, vu que Frank est complètement largué. Il n'est pas du tout bizarre que Petal nous ait abordés. Bien sûr qu'elle surveillait notre tente ! Frank lui manquait déjà !

Tu ne comprends pas, Frank? Tu lui plaiiiiiis, à cette fille !

– Sors de là, Joe, c'est moi qui raconte. »

Bon, OK, il est possible que Joe ait raison, que Petal ait traîné dans les parages afin de tomber exprès-sur-moi-comme-par-hasard. Pour voir ma célèbre rougeur. Pour m'entendre balbutier comme Elmer – des dessins animés. Ce qu'on voudra.

– J'allais m'entraîner, dit-elle en montrant son arc. Ça vous tente ?

– Bien sûr ! fis-je.

Joe me décocha un regard surpris. Mais nous devions nous faire une idée des habitudes de Stench, pour savoir à quel moment fouiller sa maison. Alors, pourquoi ne pas soutirer des informations à Petal ?

– Vous avez déjà fait du tir à l'arc ? demanda-t-elle en nous emmenant vers les ballots de foin qui lui servaient de cibles.

– Une fois ou deux, répondit Joe. On pratique surtout l'athlétisme.

– Ah oui ? Cool, commenta Petal, s'arrêtant à une trentaine de mètres d'un ballot. Une balle franchit une centaine de mètres sans infléchir sa trajectoire. Une flèche commence à descendre beaucoup plus tôt. Il faut garder ça à l'esprit quand on vise.

Joe haussa les sourcils : à quoi rimait cette leçon de tir ? Cette fille se connaissait-elle en armes ? Et pourquoi ? Était-ce juste un autre hobby, ou... ?

Petal me passa son arc. Elle se mit derrière moi et m'enlaça littéralement pour m'aider à poser la flèche.

– Optez plutôt pour le sport en chambre ! blagua Joe.

Désopilant ! Il pense que je n'ai aucun humour. En fait, il refuse d'admettre qu'il n'est presque jamais drôle !

– J'aimerais bien, dit Petal, un grand sourire aux lèvres. J'échangerais volontiers ma tente contre une vraie chambre.

– Stench pense être le seul à y avoir droit ? m'enquis-je.

Elle s'écarta aussitôt de moi. Elle ne souriait plus.

– Vas-y, m'ordonna-t-elle.

Je laissai filer la flèche. Elle atteignit tout de même le ballot de foin.

Petal reprit fraîchement :

– M. Stench a un emploi du temps très chargé. Il a plus besoin d'intimité que nous.

– Oh, c'est vrai, fit Joe, c'est sa Boîte à idées.

Il tendit la main, je lui remis l'arc.

– Un conseil ? demanda-t-il à Petal.

– Vise et tire.

Pas d'étreintes pour Joe. Le veinard.

– M. Stench est très inspiré, dans ce lieu, continua-t-elle lorsque la flèche de Joe se fut fichée plus près du cœur du ballot que la mienne. Il s'y trouve en ce moment. Quelquefois, il s'enferme pendant des jours. Mais, quand il ressort, il a toujours un tas de nouveaux projets.

« Pour répandre la souffrance et la destruction », pensai-je.

Joe s'étonna :

– Pendant des jours ?

– Ça arrive. Alex, c'est à toi.

Elle prit l'arc à Joe, me le donna et m'enlaça de nouveau :

– Je t'ai déjà dit qu'Alex est un de mes prénoms préférés ?

Ma flèche partit, et manqua complètement

sa cible. Petal rit, mais sans méchanceté.

Je me rappelai que je l'avais vue arroser de peinture des passants innocents. Je ne pouvais pas avoir confiance en elle.

Soudain, je repérai Dave qui poussait une brouette pleine d'épluchures de légumes.

– Tu as besoin d'un coup de main ? lui lançai-je.

Je ne demandais qu'à m'éloigner de Petal.

– Oui, répondit-il. J'ajoute ça au tas de compost, et puis je désherbe le jardin.

Excellent ! Du jardin, on avait vue sur la maison de Stench. S'il sortait, Joe et moi le saurions.

Nous arrachâmes les mauvaises herbes jusqu'à ce que le soleil commence à décliner, mais la maison aux murs aveugles resta close. Mondo sortit une fois, rapporta un ou deux ananas – dessert ou exercice à l'épée. C'est tout.

Au crépuscule, toute activité cessa dans la communauté. C'est comme ça que ça se passe, quand on n'a pas l'électricité. Solar Man faisait ce qu'il pouvait.

Joe et moi regagnâmes notre tente. Le soleil m'avait tapé sur la tête. Joe me parlait, mais je ne réussis pas à garder les yeux ouverts.

Je sombrai dans un rêve : j'étais de retour

dans le cabinet d'avocats, celui de notre dernière mission. Mais je n'étais pas avec Joe. J'étais en compagnie de Petal.

Dans ce rêve, je n'avais aucune difficulté à lui parler, et je ne la soupçonnais de rien.

– Tu ne sens pas une odeur de fumée ? me demanda-t-elle.

Je lui dis qu'il n'y avait pas de souci. D'accord, l'immeuble était en feu, mais on pouvait descendre en rappel. D'ailleurs, ce n'était qu'un rêve – un de ces rêves où on sait qu'on est juste en train de rêver.

Je toussai. Bizarre. D'accord, le cabinet était enfumé, mais juste en rêve – et j'en avais conscience.

« Réveille-toi ! m'ordonnai-je. C'est agaçant ! »

Ah, si on pouvait zapper de songe en songe ! Mais pensez-vous ! J'étais scotché dans celui-là.

– Au feu ! cria Petal avec la voix de Joe.

Il hurla :

– Réveille-toi, Frank ! On brûle !

Mes paupières s'ouvrirent d'un coup.

Je ne rêvais pas.

Des flammes dévoraient le toit de la tente !

13. Vengeance !

Nous saisîmes nos sacs à dos. Comme je sortais en titubant, une moto manqua de m'écraser les orteils. Balèze la conduisait.

– Retourne d'où tu viens, hippie ! hurla-t-il.

Il fit gicler de l'essence sur la tente voisine tout en roulant à toute vitesse. Maigrichon le suivait à moto. Sans ralentir, il effleura avec une torche la toile imbibée d'essence.

Bvoum !

Une boule de feu jaillit.

Un homme barbu bondit hors de la tente, s'élança à la poursuite de Balèze et de Maigrichon. Nous aussi.

Inepte. Nous n'étions pas motorisés. Nous

n'avions même pas un tuyau d'arrosage à braquer sur les flammes !

– Seaux à la chaîne ! cria Frank.

« Combien d'eau produit le labo de Janet ? » me demandai-je. Quelle importance ? Il fallait bien tenter quelque chose !

– Il y a des seaux derrière le réfectoire ! lança le barbu.

Nous courûmes tous les trois jusqu'à la cantine. Je ne voyais pas grand-chose : juste des flashes – phares, torches électriques ou flambeaux.

Une Jeep zigzagua à travers le jardin, ravageant les cultures.

Rougeaud surgit au pas de course, armé d'un couteau. Il lacéra une tente au passage.

– Vengeance ! cria-t-il. Vous croyiez nous avoir échappé, mais on vous a suivis ! Vous allez mordre la poussière, bande de tarés !

Une boule puante atteignit Frank à la nuque. Je ne l'avais même pas vue venir.

– Tirez-vous d'ici ! brailla un homme en écrabouillant avec une batte de base-ball les verres grossissants du « four ».

Une adolescente au volant d'un cabriolet déglingué écrasa en marche arrière deux bicyclettes de la communauté. Alors que je la dépassais à toute allure, elle m'envoya un baiser.

Soudain, ce fut fini. Il y avait sans doute eu un signal, mais il m'avait échappé. Les cris cessèrent. Les motos et les véhicules disparurent en vrombissant.

Les battements de mon propre cœur m'emplissaient les oreilles alors que nous rassemblions les seaux pour les remplir d'eau.

Mais il était trop tard. Il ne restait rien à sauver de notre tente, ni de celle du voisin.

Comme le soleil apparaissait à l'horizon, Frank et moi errâmes dans la communauté, nous joignant aux autres en une procession triste et silencieuse tandis que nous mesurions l'étendue des dévastations.

– Tout le monde au jardin !

La voix de Stench avait envahi les lieux. Il parlait dans un mégaphone :

– Tout le monde au jardin ! Tout de suite !

Il ne fallut pas longtemps pour que la communauté soit réunie. Je contemplai les marques de pneus qui zébraient les rangs de légumes écrabouillés. Combien de temps faudrait-il pour réparer les dégâts effectués en moins d'une demi-heure ?

Nous fîmes cercle autour de Stench. Il lâcha son mégaphone.

– Bon, tout d'abord, quelqu'un est-il blessé ?

Il y eut un chœur de « non » et des hochements de tête.

– Donc, ils s'en sont tenus aux dégâts matériels, déduit Stench en se mettant à faire les cent pas. Quelqu'un peut-il me dire pourquoi nous avons été attaqués ?

Cela semblait évident : par vengeance, comme l'avait crié Rougeaud. Nous avions agressé des gens, ces gens avaient exercé des représailles.

Bien entendu, je gardai ça pour moi. J'étais censé être un bon petit disciple de Stench. Personne ne dit grand-chose, d'ailleurs. Tout le monde savait, j'imagine, que Stench aimait répondre lui-même à ses propres questions.

– C'est à cause du pétrole, affirma-t-il.

« Hein ? »

– Les compagnies pétrolières veulent ma peau depuis que j'ai démarré Paradis. Elles savent que, si nous réussissons à créer de nouvelles sources d'énergie, elles seront en faillite.

Il tira l'épée de son étui et continua :

– On pourrait croire que ce sont quelques têtes brûlées qui nous ont fait ça. Mais les compagnies pétrolières sont derrière ! Et leurs pétrodollars !

Fsschhhh ! Fsschhhh ! L'épée fendit l'air.

– Oui, c’est contre nous qu’ils en ont! enchaîna-t-il, lame pointée sur Solar Man. C’est à toi qu’ils en veulent, mon frère, parce qu’ils savent que tu as raison!

– Oui! fit Solar Man, le poing en l’air, faisant cliqueter ses panneaux solaires.

Stench braqua son épée sur Einstein bis.

– À toi qu’ils en veulent, parce que l’idée de géothermie les effraie!

Einstein bis hocha la tête, et sa coiffure à la diable parut encore plus... endiablée.

– Le seul mot d’hydroélectricité les fait trembler, dit Stench à l’homme à la longue tunique blanche identique à la sienne – qui avait vanté les mérites de l’hydroélectricité pendant le repas de midi.

Alors, là, chapeau! Stench avait du génie. Il n’y allait pas avec le dos de la cuiller pour flatter les egos des uns et des autres. Il s’arrangeait pour que chacun se sente important.

– Les compagnies pétrolières s’imaginent qu’il suffit de payer quelques citadins pour régler notre compte, reprit-il, portant son épée à son front avec un soupir. Elles se croient plus malignes que tout le monde, avec tous ces financiers et ces savants qui travaillent pour elles.

Dans une brusque virevolte, il s’écria:

– Mais je prétends qu'aucun des forts en thème qui travaillent pour ces grossiums pleins de fric n'est plus intelligent que vous !

Des applaudissements éclatèrent.

– Je dis que ce règne de la terreur est sur le point de prendre fin ! Nous ne les laisserons pas s'imposer !

– NON ! crièrent les membres du cercle.

Frank et moi fîmes semblant. Impossible de nous associer à eux !

– Allons-nous les faire payer ? tonna Stench.

– OUI ! hurla la foule – sourire aux lèvres.

– Et comment ! Ce soir, à minuit, l'heure de la vengeance aura sonné ! s'exclama Stench. Soyez prêts ! Car nous irons en ville !

Vivats. Cris. Applaudissements.

Je sentis comme un picotement au creux de mon estomac. C'était peut-être une opportunité !

– C'est l'occasion ou jamais, soufflai-je à Frank. Ils partent : on s'introduit chez Stench.

Je jetai un coup d'œil vers la bâtisse : elle avait échappé aux flammes.

– Ce serait le moment idéal, approuva Frank. Mais nous devons les accompagner en ville. Tu vois bien que Stench est fou de rage ! S'il perd les pédales, nous serons là pour l'arrêter.

– Il n'exécutera pas son grand projet ce soir ! Il vient d'improviser ce raid ! Ce sera encore un truc du genre des pots de peinture.

– Nous l'ignorons, Joe.

– Eh bien, il faut courir le risque. Nous devons connaître ses intentions pour pouvoir les déjouer !

– Et s'il passe à l'action tout à l'heure ? Si cette attaque l'a décidé à accélérer les choses ?

Là, Frank marquait un point.

– Bon, écoute. L'hélicoptère sans manche joue forcément un rôle dans ce projet. On n'a pas un tel appareil pour rien.

– Ça, d'accord.

– Eh bien, ce soir, on planque dans la tente où l'engin est caché. De toute façon, on n'aura pas intérêt à rester en vue au moment du départ de Stench.

– Mais, s'il lance son grand projet, on en sera avertis, puisque quelqu'un viendra chercher l'hélicoptère !

– Exactement !

Nous nous faufilâmes sous la tente juste après le coucher du soleil. Nous pensions qu'il valait mieux s'y prendre à l'avance.

Mon problème, c'était de ne pas somnoler, assis comme ça dans le noir. Mais je cessai de piquer du nez dès que quelqu'un me saisit au collet par derrière.

Je vous ai déjà dit, je crois, que Mondo est super silencieux ?

Il nous regarda tour à tour et annonça :

– M. Stench requiert l'honneur de votre présence.

14. Mèche d'allumage

Mondo nous mena à la fourgonnette et nous poussa dedans. Petal, le type que Joe avait surnommé Einstein bis et Solar Man s'y trouvaient déjà.

– Vous êtes en retard, fit Stench, installé au volant. J'avais dit minuit.

J'attendis que Mondo révèle à Stench où il nous avait trouvés. Il se tut. Fallait-il en conclure que l'hélicoptère était top secret ?

Stench semblait faire pas mal de cachotteries à ses disciples !

– L'inexactitude révèle de la négligence pour les détails, continua Stench alors que nous prenions la route dans le désert.

Les panneaux solaires avaient engrangé pas mal d'énergie pendant le jour : nous filions à près de cent vingt à l'heure.

– Cela peut s'avérer mortel dans nos missions, ajouta encore Stench.

– Désolé, marmonna Joe.

– Une erreur, une seule, et quelqu'un pourrait mourir ce soir !

– Vu, fis-je.

De toute évidence, nous n'étions pas repartis pour une nouvelle distribution de peinture ! Ce que confirmait l'absence de pots.

Il y avait aussi une autre différence, par rapport à notre précédente incursion en ville – en dehors du fait que Dave avait cédé la place à Einstein bis. Mais quoi ?

La fourgonnette cahotait et tressautait comme la dernière fois, Petal s'était arrangée pour se coller à moi, Mondo avait son fusil, Stench tenait le volant…

De quoi s'agissait-il, bon sang ? J'avais comme un picotement dans le crâne. Une chose était sûre : c'était important !

Je regardai Joe. Par signes, il forma le mot *essence*.

Mais oui, la fourgonnette puait l'essence ! Or, elle fonctionnait à l'énergie solaire. Il y avait comme un défaut ! Je balayai l'intérieur du regard, cherchant la source de l'odeur.

Je surpris un coup d'œil de Stench, qui m'observait dans le rétroviseur. M'efforçant de prendre un ton enthousiaste, comme si j'attendais la suite avec impatience, je lançai :

– Pas de peinture, ce soir ?

– Inutile, répondit-il avec un sourire qui me glaça jusqu'aux os.

– C'est quoi, notre mission ? s'enquit Joe. On était en retard, désolés, on n'a pas entendu.

Stench se contenta d'élargir son sourire. Petal me souffla à l'oreille :

– M. Stench ne nous donne que les informations de base. Il n'aime pas les questions.

Un chef qui attendait que ses partisans le suivent aveuglément. Je repensai aux têtes sculptées du mont Rushmore. Notre pays était fondé sur le débat, non ? Stench le savait-il ? Si oui, il s'en moquait, de toute évidence.

Mes muscles et ma mâchoire se crispèrent lorsque nous entrâmes en ville. Je sentis que Petal se tendait, à côté de moi. Qu'allait-il se passer ? Et où ?

Nous longeâmes la rue principale et tournâmes à gauche. Je regardai les maisons alignées, imaginant ceux qui dormaient à l'intérieur.

L’une d’elles était-elle la cible de Stench ? Avait-il l’intention d’y mettre le feu ?

Ce n’était pas ça. Non. Après un ou deux virages, nous nous retrouvâmes dans une artère nettement plus commerçante : fast-foods, centre piétonnier avec supérette, magasin d’articles de sport, parking.

Stench se déporta sur la gauche et se gara de l’autre côté de la rue, en face du parking.

– Tout le monde descend ! ordonna-t-il.

Quand il fut dehors, je remarquai qu’il tenait un sac en kraft à la main. Des taches d’humidité s’étaient formées sur le papier.

Je me plaçai à dessein derrière lui, contre le vent : les vapeurs d’essence venaient du sac.

Stench traversa la rue, en tête du groupe. Une haute grille en fer ceignait le parking. Il adressa un signe à Mondo. Le garde du corps sortit une pince coupante de sa poche revolver. D’un coup sec, le cadenas céda. Mondo nous ouvrit la grille avec une demi-révérence.

Des enfilades de fanions colorés claquèrent au vent, au-dessus de nos têtes. Une enseigne au néon géante, VENTE DE VÉHICULES SUV, brillait à la vitre du showroom. Ce n’était pas une blague : les lieux étaient pleins de SUV, SSR, Hummers. Il y avait une Jeep qui avait bien deux mètres de large. Et même un gigantesque camion, sans doute plus destiné à attirer la clientèle qu'à autre chose.

Solar Man émit un gémissement consterné. Petal hocha la tête :

– Les publicités font croire que ces engins sont conçus pour quitter les routes, pour retourner à la nature. Mais ils détruisent l'environnement !

– Et on a beau le répéter, les gens ne veulent pas entendre ! dit Stench. On a beau écrire des articles, ils ne veulent pas voir ! Réchauffement climatique, nuages de pollution, dépendance à l'égard du pétrole étranger...

Einstein bis brandit le poing :

– Non au pétrole ! Non au pétrole !

Stench posa un doigt sur ses lèvres. Einstein bis se tut.

– Nous ne devons plus nous contenter de parler et d'écrire, continua Stench. Nous devons protéger les hommes contre eux-mêmes ! Et, en tout premier lieu, nous devons obtenir leur attention !

Il tira un linge humide du sac en kraft. Une forte bouffée d'essence me vint aux narines. Il déplia le linge : je vis un rouleau de corde.

Je compris tout.

La corde était une mèche.

Flanquez une extrémité dans un réservoir, allumez l'autre : la flamme courra le long du cordeau imbibé jusqu'aux litres d'essence.

– Lequel de ces engins démoniaques doit être notre cible ? Je choisis celui-là !

Stench désigna un gros SUV rouge. Mondo, Solar Man et Einstein bis poussèrent des hourras. Leur chef avança vers le véhicule.

J'échangeai un coup d'œil avec Joe. Nous étions d'accord, pas question de laisser faire !

– Stench ! criai-je.

Il se détourna à demi, l'air mécontent de cette interruption.

– Vous pensez qu'il est mal de manger une créature qui a un visage ! Vous voulez vivre en paix avec la planète !

– Exact.

– Cela s'étend aux êtres humains, non ?

– Nous avons des visages, ajouta Joe. Nous vivons sur la Terre.

Stench désigna le véhicule :

– Ce SUV *n'est pas* un être humain !

– Mais des hommes gagnent leur vie en le vendant, arguai-je. Ces gens vont perdre des milliers de dollars !

– En échange d'une bonne leçon ! Vous n'écoutez donc pas ? Je me soucie de l'humanité. J'essaie de sauver des vies.

– Nous mourrons tous, si personne n'écoute M. Stench ! approuva Einstein bis.

Solar Man prit le relais :

– Ils doivent voir la lumière !

Stench repartit vers le SUV. Joe me fit signe.

Nous bondîmes en même temps. Je heurtai Stench au creux des genoux. Nous chutâmes brutalement : Stench sur l'asphalte, moi sur Stench. Il réussit à se retourner sur le dos et, des deux pieds, me flanqua un coup en plein torse. Je fus expédié en arrière. Mais j'étais déjà debout la seconde d'après.

Joe avait réussi une clé du bras autour du cou de Stench, qui lui griffait le visage. Joe ne lâchait pas prise.

C'était le moment de frapper au ventre, la partie la plus vulnérable de l'adversaire en ce moment. Je reculai pour prendre de l'élan… et me retrouvai pendu en l'air. Merci, Mondo.

Son bras me serrait comme un étau. J'essayai d'exécuter un retournement, mais ne bougeai pas d'un pouce.

Mondo marcha sur Joe, le happa et le ficha sous son autre bras.

– Emmène-les à la fourgonnette, ordonna Stench. Solar Man, je t'attribue l'honneur d'allumer la mèche.

J'avais l'impression d'être un sac de

pommes de terre. Humiliant. Mondo n'avait même pas le souffle court lorsqu'il nous flanqua à l'arrière du véhicule avant de se poster devant la porte ouverte. Moins de cinq secondes plus tard, les autres revenaient au pas de course. Ils se ruèrent à l'intérieur.

Portant nos regards au-delà de la vitre, nous vîmes tous l'explosion du SUV.

15. Pas de refuge

– Vous m'avez beaucoup déçu, dit Stench avant de démarrer et de prendre lc large.

Je vrillai mon regard sur sa nuque. Ça m'aurait bien plu de lui tordre le cou ! C'était même mon plus grand désir. Mais Mondo était là. Comme d'habitude.

Devinez ce qui venait en deuxième position sur la liste de mes désirs ?

Vous avez répondu : trouver un plan d'évasion infaillible ? Vous pouvez vous décerner une médaille. Car, maintenant que Frank et moi avions « déçu » Stench, j'aurais parié que notre retour à Paradis ne nous réservait rien de paradisiaque !

Bon, revenons au plan d'évasion infaillible. Il nous en fallait un, et fissa. Pour se faire la belle depuis une fourgonnette filant dans le désert à près de cent vingt à l'heure.

Ah.

Il y avait un grand vide dans mon crâne. Je regardai Frank. Je n'avais pas non plus l'impression que son cerveau faisait des étincelles.

Le trajet du retour me parut ne durer que quelques minutes, et pas une demi-heure. « Réfléchis », m'intimai-je alors que nous dépassions la pancarte PARADIS : ENTRÉE. « Réfléchis, bon sang ! »

Nous avions presque atteint le point de non-retour.

Je regardai de nouveau Frank. Délibérément, il fixa la portière coulissante de la fourgonnette.

Et je pigeai.

De nous deux, c'était moi le plus proche de la porte. Je fis semblant de renouer un lacet pour m'en rapprocher davantage. Le véhicule ralentit au niveau des tentes. Je passai à l'action : j'ouvris la portière et me jetai dehors.

Douleur au genou, à l'épaule ; sable dans le nez, dans la gorge.

– Attrapez-les ! hurla Stench.

Une main me saisit le bras et me remit

debout. Je scrutai les ténèbres. C'était Frank.

Nous dépassâmes à fond de train la première rangée de tentes. Inutile de chercher à se planquer à l'intérieur. Il y avait un disciple de Stench dans chacune d'elles. Et les autres n'auraient pas mis longtemps à fouiller le réfectoire, le labo ou les tentes qui abritaient des réserves. Nous ne pouvions pas davantage nous réfugier dans la tente de l'hélicoptère. Détaler dans le désert n'était pas non plus la plus futée des stratégies. Sans nourriture ni eau, c'était un piège mortel !

Je trébuchai et m'affalai sur un genou – celui sur lequel j'avais atterri en sautant de la fourgonnette en marche. Je me retrouvai nez à nez avec une pelle.

Il me fallut un moment pour me repérer, en regardant autour de moi. Nous étions dans le jardin.

– Frank ! Le tas de compost ! chuchotai-je.

Je me ruai vers l'énorme amas d'épluchures et me mis à creuser avec la pelle. Très vite, des voix se firent entendre :

– Ils n'ont pas pu aller bien loin !

– Vérifiez toutes les tentes inoccupées !

– Ils vont payer ça !

Les voix se rapprochaient. Je creusai en accéléré. Lorsque le trou fut assez grand pour Frank et moi, nous y entrâmes.

Des légumes visqueux à l'intérieur de votre chemise, je vous le déconseille.

– Ils n'ont aucun refuge possible ! cria un garçon – je crus reconnaître Dave.

– Je pense qu'ils sont repartis vers la ville. Ils ont peut-être récupéré leurs engins, bien qu'on n'ait pas entendu de moteurs.

Là, c'était à n'en pas douter Stench qui avait parlé. Il avait déniché nos motos. Zut !

Il continua :

– Ils veulent sûrement dénoncer ceux qui ont fait sauter le SUV à la police . Nous devons les rattraper. Il ne faut pas qu'ils rejoignent les autorités !

– Motos. Bonne solution, me murmura Frank.

– Ils s'en vont, dis-je en entendant décroître leurs pas.

Un morceau de chou pourri se glissa dans ma bouche.

– Qu'est-ce qu'on fait ? demanda Frank. On ne peut pas rester ici indéfiniment.

– Pourtant, c'est simple, mais accueillant, répondis-je en recrachant le chou.

Après avoir réfléchi un moment, je repris :

– Nous ne pouvons pas tenter de retrouver nos motos maintenant. Il semble n'y avoir qu'une route pour sortir d'ici, et on risque de tomber en plein sur Stench et sa bande.

– Dommage que l'hélicoptère n'ait pas de manche. Du haut des airs, on n'aurait pas de mal à trouver notre chemin dans le désert.

Je réfléchis encore.

– Tu sais ce qu'on devrait faire, Frank ?

– Quoi ?

– Stench et Mondo sont loin. C'est le moment rêvé pour fouiller la baraque en bois, non ?

16. Surprise !

Joe et moi gagnâmes furtivement notre tente pour prendre les outils à crocheter. J'étais bien content de les avoir emportés. (Je ne regrettais pas non plus d'avoir pris des sous-vêtements de rechange : j'aurais juré que mon slip était plein de rutabaga pourri.)

Ensuite, nous crapahutâmes dans les ténèbres jusqu'à la maison de Stench. Joe m'éclaira avec une minitorche pendant que j'opérais. Il n'y avait pas de lampadaires ni quoi que ce soit, hein.

La serrure était d'un modèle courant. J'entrai et, machinalement, cherchai un interrupteur, même si je ne risquais pas d'en tr…

Hé, minute ! Mes doigts rencontraient bel et bien un interrupteur en plastique ! J'appuyai dessus. La pièce fut inondée de lumière.

– Ouaou ! s'exclama Joe qui entrait à son tour en refermant la porte derrière nous. Cet endroit…

– … n'a rien d'écolo, achevai-je.

La maison de Stench avait l'électricité ! Grâce à un réseau de câbles souterrains, sans doute. Mais ce n'était pas tout ! Je voyais un réfrigérateur ; une télé ; et un ordinateur hyper sophistiqué !

Joe se dirigea tout droit vers le frigo. Il y prit deux bouteilles d'eau et m'en lança une :

– Toi, je ne sais pas, mais j'ai avalé au moins un bol de sable ! Et du chou à moitié pourri.

Je dévissai la bouteille, me rinçai la bouche, puis traversai la pièce pour cracher dans l'évier.

La tête dans le frigo, Joe commenta :

– Quel imposteur, ce Stench ! À moins qu'on n'ait inventé le bœuf sans visage ! Des steaks… des hamburgers…

– Voyons voir si on déniche quelque chose qui intéresserait davantage ATAC, dis-je.

Selon moi, le mieux était de commencer par l'ordinateur.

Quant à Joe, il retira le plus gros tiroir du bureau et s'installa par terre avec.

– Allons, fais plaisir à papa, marmonna-t-il en passant les documents en revue.

Stench ne s'était pas donné la peine de programmer un mot de passe. Il devait penser que la serrure de la porte et Mondo suffisaient à assurer la sécurité.

Je cliquai sur le programme Quicken pour accéder aux fichiers bancaires de Stench. Il est toujours très instructif de voir comment un type dépense son argent !

– Ah, génial ! cria Joe, agitant un bordereau. Tu sais, le SUV que Solar Man a fait exploser sur ordre de Stench ? Eh bien, il lui appartient.

– Je ne comprends pas. À quoi ça rime, tout ça ? Quel est le but ? Puisque, visiblement, Stench ne pense pas un mot de ce qu'il professe.

Joe haussa les épaules. Je reportai mon attention sur l'écran, parcourus une liste de dépôts et retraits, et cliquai sur « imprimer ».

En entendant le bruit de l'imprimante, Joe demanda :

– Tu as déniché quelque chose ?

– Et comment ! Stench a reçu plusieurs versements de la compagnie Petrol International. De gros versements.

– Petrol ? Tiens, tiens ! s'exclama Joe en regardant le listing. Oh, mais Stench est un méchant garçon ! Un très méchant garçon ! Apparemment, ce n'est pas seulement le SUV qu'il possède. Il dirige tout !

– Il détruit l'environnement tous azimuts ! Hé, maintenant que j'y pense : comment ça se fait que les types de la ville n'aient pas touché à cette maison lorsqu'ils sont venus saccager le campement ?

– Plutôt bizarre. Pourtant, cette baraque ne passe pas inaperçue !

– Je parie que Stench a commandité ce raid ! Il veut surexciter tout le monde, ici. Va savoir pour quelle raison.

– Pour les conditionner en vue de son fameux projet, dit Joe.

Je retirai la feuille de l'imprimante. Laquelle se trouvait tout à côté de la ligne téléphonique.

« Hein ? Une ligne téléphonique ? »

– Joe ! Téléphone ! explosai-je. On peut demander de l'aide !

– C'est dingue que je n'aie pas vérifié en premier s'il y en avait un, fit Joe, qui s'empara du récepteur.

– Lâche ça, Hardy !

17. Le projet de Stench

Je lâchai le téléphone. Si je ne l'avais pas fait, Stench aurait peut-être bien ordonné à Mondo de me pulvériser à coups de poings.

– Comment connaissez-vous nos vrais noms ? demanda Frank.

Bonne question ! Stench m'avait appelé « Hardy ». J'avais été si secoué de les voir, lui et Mondo, que je n'y avais pas pris garde.

Stench gagna le canapé en cuir situé de l'autre côté de la pièce et s'y assit.

– Nous avons trouvé vos motos dans le désert et fait parler les immatriculations, expliqua-t-il.

Il fit signe à Mondo, qui avança sur nous. Il

plongea la main dans la poche kangourou de son sweat-shirt, et en sortit une corde.

– Nous savons que vous n'avez rien d'un écologiste, lançai-je à Stench.

Il répliqua pendant que Mondo me ligotait les mains :

– Cette corde n'est pas du tout high-tech ! Je constate que vous avez mis le nez dans mes affaires. Alors ? Vous m'avez trouvé brillant, non ?

« Il est fou à lier », pensai-je tandis que Mondo me ligotait les chevilles. Si les pupilles de Stench s'étaient mises à tourner comme des éoliennes, je n'aurais pas été surpris.

– Et cette communauté ? Belle trouvaille, hein ? continua Stench. Oh. Vous n'avez pas compris.

Il hocha la tête, ponctuant ce geste de claquements de langue désappointés :

– Je travaille pour une compagnie pétrolière, figurez-vous.

– Petrol International, ajouta Frank – c'était lui que Mondo ficelait, maintenant.

– Et que fais-je pour leur compte ? Eh bien, je rassemble des cinglés, dit Stench, comptant sur ses doigts : Solar Man, mon premier dingo ; Samuel Fisk : le fou d'Einstein ; Petal Northstar : ma fofolle idéaliste ; Janet Simkins : ma chercheuse barjot.

Il sourit :

– Je suis particulièrement fier d'avoir amené Janet. Elle a peut-être bien effectué une découverte révolutionnaire !

Il me donnait envie de vomir !

– Bref, on vous paie pour que personne ne développe une vraie source d'énergic altcrnative.

– En partie, oui.

– Vous êtes malade ! explosa Frank. Je comprends très bien le reste. Votre boulot, c'est d'encourager des actions violentes. Pour déconsidérer les écolos !

– Tu as pigé ! Personne n'écoute des gens qui expédient de la peinture et font exploser des voitures, dit Stench. Vous me plaisez, tous lcs deux. Vous êtes intelligents.

Il grilla une cigarette. Puis :

– Dommage que je doive vous tuer.

Glub.

J'ignore ce que j'avais cru que Stench nous ferait. Mais mon cerveau n'était pas allé jusqu'au meurtre.

– Et je sais exactement *quand*, ajouta-t-il. Demain, c'est le Jour de la Terre – enfin, pas loin. C'était il y a un mois ou deux. Mais, pour mon anniversaire, je veux fêter de nouveau la Terre avec vous.

Il se mit à taper du pied en rythme. Puis à chanter « Joyeux Anniversaire ». Sauf qu'il transformait ça en « Joyeux Jour de la Terre ». Et concluait le couplet par : « Je tuerai les Hardy. »

Très entraînant, comme chansonnette.

Vous savez ce qu'il me fallait ? Et fissa ?

C'est ça. Un plan d'évasion infaillible.

Mais il aurait fallu qu'on soit les Houdini, Frank et moi, pour sortir d'ici ! Nous avions les pieds et les poings liés – et Mondo ne nous quittait pas de l'œil.

– Je sais aussi *comment*, continua Stench.

Je n'avais pas très envie de connaître les détails de ma fin. Mais, si nous savions à quoi nous attendre, nous pourrions déjouer plus facilement ses plans.

Enfin, peut-être.

– Cela fera partie du cadeau que je m'offrirai pour mon anniversaire : faire sauter une usine nucléaire.

Il avait balancé ça comme s'il s'agissait d'une broutille. Comme s'il comptait s'offrir une paire de caleçons.

– Vous êtes fou ! cria Frank, horrifié.

– Pas du tout. L'énergie nucléaire *est* le mal. Elle pourrait détruire l'industrie pétrolière, répondit Stench. J'ai soigneusement préparé mon coup. L'usine de Diablo est à une vingtaine de kilomètres de San Luis Obispo. Je vais crasher le drone dessus.

Le drone. Mais oui ! L'hélicoptère sans manche !

– Superbe technologie, poursuivit Stench. Très similaire à ce que nous avons utilisé en Afghanistan. Je peux le faire décoller pour n'importe quelle destination. Vous pourrez suivre ça de près : vous serez à l'intérieur.

Il se tourna vers Mondo :

– C'est parfait, non ? Même si l'usine n'explose pas, ces deux-là mourront. Et, quand on trouvera leurs corps, on les accusera de terrorisme.

À la pensée des gros titres, à la pensée de maman et tante Trudy en train de les lire, j'eus vraiment la nausée !

Au moins, papa reconstituerait la vérité.

Stench se leva :

– C'est vraiment très excitant ! J'ai hâte de passer à l'action ! Mondo ?

Pour la deuxième fois, je me retrouvai coincé sous le bras charnu de Mondo. Il m'emporta dehors, contourna le bâtiment et me jeta dans une carriole. Dès qu'il s'éloigna, je m'attaquai à mes liens en les frottant contre le rebord du caisson. Les frictions m'échauffèrent les poignets, mais la corde ne céda pas.

Je m'arrêtai dès que je vis Mondo revenir avec Frank. Le colosse expédia mon frère à côté de moi. Puis il nous fit rouler vers la tente de l'hélicoptère.

Stench suivait, tout en chantonnant son hymne d'anniversaire.

Parvenu devant la tente, Mondo dénoua le pan d'entrée et l'écarta tout grand. Je vis le drone à l'intérieur. La machine de mort.

Stench sortit de la poche de sa longue tunique une télécommande. Il enfonça un bouton, et le drone roula hors de la tente.

– Charge-le ! cria-t-il à Mondo.

Puis il frappa dans ses mains, tel un gosse surexcité. Mondo saisit Frank et avança vers le drone.

– Petal ! Au secours ! criai-je.

C'était la seule qui voudrait *peut-être* nous aider. Elle avait un faible pour Frank. Peut-être l'aimait-elle assez pour se dresser contre Stench ?

– Petal ! hurlai-je encore. Frank a besoin de toi !

Stench s'esclaffa à s'en étrangler.

– Tout comme vous, Petal n'est pas libre, en ce moment ! J'ai fait un bon mot ! s'écria-t-il. Votre petite Petal est ficelée en plein désert.

Mondo vint me chercher et me flanqua dans le cockpit du drone, à côté de Frank.

– Que voulez-vous dire ? Que lui avez-vous fait ?

– Ce qu'il fallait, déclara Stench qui s'approchait du drone. J'ai découvert qu'elle vous transmettait des informations, alors, je l'ai abandonnée dans le désert.

– Mais elle va mourir ! hurla Frank.

– Exactement. Tout le monde a droit à une mort aussi excitante que celle que je vous ai préparée.

Il recula et appuya sur la télécommande. L'hélice commença à tourner.

– Le billet qui nous conseillait de fouiller la maison de Stench venait de Petal, alors, lâcha Frank, sourcils froncés.

– Oui, elle t'aime encore plus que je ne croyais.

– Ça ne peut pas être pour cette raison ! On ne va pas à l'encontre de ses principes parce que quelqu'un vous plaît !

Le mouvement de l'hélice s'accéléra.

– Euh, si on parlait de ça plus tard ? fis-je. Je crois qu'on va décoller.

On ne pouvait pas y faire grand-chose, notez. Même si nous réussissions à rouler hors du cockpit, Mondo nous y réexpédierait.

– Lâche cette télécommande, Stench !

Je me contorsionnai pour voir : Petal était là avec son arc ! Elle visait Stench.

– Empare-toi d'elle, Mondo ! ordonna Stench.

– Un seul pas, et ton boss prend une flèche en plein crâne ! dit Petal à Mondo, d'une voix dure et sèche.

Puis, avec chaleur, cette fois :

– Ne t'inquiète pas, Frank, je vais te tirer de là !

Bon, une fois qu'elle aurait sorti Frank, elle me sortirait aussi, j'imagine. Après tout, je suis son frère, non ?

– Ah, Petal, ma petite Petal, chantonna Stench, je t'ai pourtant donné un meilleur enseignement ! Je t'ai appris à aimer les êtres vivants.

Elle rétorqua :

– Je peux aimer un scorpion. Je peux aimer un crotale. Mais pas vous !

Elle laissa filer sa flèche, qui se ficha dans un arbre, à quinze centimètres de la tête de Stench.

– Juste un avertissement, prévint-elle. Vous savez que je tire mieux que ça.

Elle arma de nouveau son arc et le pointa vers le front de Stench :

– Mondo, détache-les.

Mondo vint vers moi – un couteau en main. D'un seul coup, j'eus la gorge sèche. Ouf ! il se servit de la lame pour couper mes liens ; puis ceux de Frank.

Nous bondîmes hors de l'hélicoptère.

– Lâchez cette télécommande, Stench ! ordonna Petal.

– Non.

Petal ne le redit pas deux fois. Elle fit pivoter son arc et tira – la télécommande sauta de la main de Stench.

– Emparons-nous de lui ! cria Frank.

Ce fut lui qui atteignit Stench le premier, et il lui fit un placage. Moi, je m'écrasai sur le torse de notre adversaire et le clouai au sol de tout mon poids.

Il ne se débattit même pas. Le regard dilaté, il regardait quelque chose par-dessus mon épaule. Je ne pus résister à l'envie de jeter un coup d'œil.

Le drone avait décollé !

– Retiens-le, Mondo ! hurla Stench.

Je lui flanquai un direct dans la mâchoire et lui assenai :

– Fini de donner des ordres !

Il se cambra brusquement, m'éjectant presque. Son coude me heurta au beau milieu du nez et je vis trente-six chandelles. La douleur me submergea.

Dès que ma vision s'éclaircit, je réussis à agripper une des oreilles de Stench, et lui imprimai une torsion brutale. Cela n'a l'air de rien, mais ça fait très mal. Et mon frère put le renverser et lui immobiliser une main dans le dos.

– Joe, couché ! cria Frank.

J'obéis sans réfléchir, m'aplatissant au sol. Un souffle ébouriffa mes cheveux : le drone passait au dessus de ma tête.

– Je ne sais pas comment ça fonctionne ! s'exclama Petal, qui pianotait sur la télécommande. J'essaie de le poser !

Mondo plongea sur elle. Elle lui échappa prestement sans cesser d'enfoncer les boutons.

L'hélicoptère monta, et monta encore.

Mondo plongea une nouvelle fois. Quant au drone, il s'écrasa au sol.

Une vague de chaleur déferla sur moi quand il explosa.

– Mondo ! hurla Stench, se contorsionnant.

Une silhouette humaine titubante émergea de la boule de feu. C'était Mondo. Il fit encore trois pas, puis s'écroula.

– Mondo ! gémit Stench.

Je m'aperçus qu'il pleurait. Du sang et des larmes sillonnaient son visage.

Tout était fini.

18. Balade à moto !

Dave et son père accoururent. Puis, quelques secondes plus tard, Einstein bis, plus hirsute que jamais. D'autres membres de la communauté les rejoignirent les uns après les autres.

Avant de répondre à leurs questions, il fallait s'occuper de la carcasse en flammes. Après avoir ligoté Stench, nous formâmes rapidement une chaîne.

Tandis que les seaux passaient de main en main, je ne pus m'empêcher de me demander ce que deviendraient tous ces gens. Janet pouvait sûrement trouver du travail n'importe où. Mais Solar Man ?

Tous ensemble, il ne nous fallut pas longtemps pour éteindre l'incendie. Ensuite? Joe, Petal et moi donnâmes aux membres de la communauté autant d'explications que possible.

Pas très gai.

À l'arrière-plan, Stench ne cessait de nous traiter de menteurs. Mais, voyant le drone noirci, la plupart des gens nous crurent.

Puis je me dis que le moment était venu de boucler notre enquête :

– Joe, il est temps qu'on appel…

– Écoute ! me coupa-t-il.

Je tendis l'oreille. Était-ce le contrecoup du danger que nous venions de courir ? Ou entendais-je réellement un *véritable* hélicoptère ?

Je scrutai le ciel. Oui ! Un hélicoptère approchait !

Courbés en deux, Frank et moi courûmes vers lui dès qu'il se fut posé. Qui était-ce ? Un des patrons de Stench à la compagnie pétrolière ? Qui d'autre pouvait débarquer par ce moyen de locomotion ?

Réponse : notre père !

– Qu'est-ce que tu fais ici ? lui cria Joe en le voyant descendre de l'appareil.

– Quoi, vous n'êtes pas contents de me voir ? répliqua-t-il.

– Étonnés seulement, lui dis-je. Comment

nous as-tu retrouvés ? On a eu toutes les peines du monde à dénicher cet endroit.

– La boule de feu nous a aidés ! expliqua-t-il. J'étais en mission en Californie. J'ai appris que vous étiez hors de la zone de couverture cellulaire, et j'ai pensé que quelque chose avait pu mal tourner. J'ai décidé de venir voir.

Joe leva les yeux au ciel. Il déteste que papa se montre protecteur.

D'accord, dans cette histoire, nous avions *failli* avoir besoin d'aide pour sauver notre peau. Nous nous apprêtions à demander du soutien. Mais être secouru « par son papa », ce n'est pas la même chose ! En fait, c'est carrément gênant !

– Vous regrettez que je sois venu ? demanda papa avec vivacité – les yeux au ciel ne lui avaient pas échappé.

– Pas du tout, répondis-je. Tu veux rire ! Il y a des jours qu'on avale du tofu. On meurt d'envie de s'en aller !

– Oui, approuva Joe en souriant. On était juste en train de boucler l'affaire.

– Qui est-ce ? s'enquit papa, désignant Petal qui rôdait dans les parages.

Je lui fis signe d'approcher.

– Papa, je te présente Petal Northstar. Petal, voici notre père, Fenton Hardy.

– Je m'appelle Paula Northum, en réalité, avoua Petal.

– Ah, je me doutais que tes parents ne t'avaient pas baptisée Petal ! s'exclama Joe. Tu sais, papa, elle nous a sauvé la vie. Deux fois !

– Alors, je suis particulièrement enchanté de te connaître, fit papa en serrant la main de Paula.

– Je ne comprends toujours pas pourquoi tu nous as aidés, dis-je à Petal-Paula. Tu fais partie de la communauté.

– Mais elle t'adooooore, Frank ! explosa Joe.

J'ai horreur de l'admettre, mais je rougis. Paula aussi.

– J'opérais en sous-marin, nous révéla-t-elle. Je suis détective amateur. J'habite dans la région, et je voulais découvrir ce que mijotait Stench.

– Et tes parents, qu'est-ce qu'ils en pensent ? demanda papa.

C'était forcé qu'il pose la question – étant parent lui-même !

– Ils le prennent bien. J'étudie à la maison, alors je pouvais rester ici sans compromettre mes examens. Il y a une grande confiance entre mes parents et moi. Ils savent que je suis capable de me défendre, et j'ai déjà résolu des affaires plutôt compliquées.

Elle me sourit :

– Je me suis doutée que tu pouvais être détective aussi. Je ne pouvais pas griller ma couverture, mais j'ai essayé de t'aider.

– De *nous* aider, tu veux dire, marmonna mon frère. Salut, je m'appelle Joe ! On s'est déjà rencontrés, non ?

– Oui, *vous* aider, bien sûr, rectifia Paula avec un sourire en coin. C'est pour ça que j'ai écrit le billet au sujet de la maison de Stench.

Mais c'était toujours moi qu'elle regardait. Elle dansa nerveusement d'un pied sur l'autre :

– Vous n'allez pas tarder à partir, j'imagine. Moi aussi. Il faut que j'aille préparer mes affaires.

Elle s'éloigna d'un pas ou deux. Hésita.

– Frank, me chuchota Joe, elle t'aime, elle t'a sauvé la vie deux fois ! File-lui ton adresse mail, abruti !

Il avait raison, je suppose. Mais pourquoi on ne se contentait pas de rentrer et de passer à notre prochaine mission ?

J'avançai vers Paula. Ma langue avait bizarrement triplé de volume, comme vous savez. J'arrivai quand même à sortir un mot ou deux :

– Euh, ça te dit qu'on reste en contact ? Ce serait cool.

Elle me donna son adresse mail, je lui

donnai la mienne. Je pense que je vais lui écrire, c'est plus facile que de parler : on n'est pas obligé de regarder une fille en face, et elle ne vous voit pas perdre contenance !

– Et toi, ta mission, c'était quoi ? demanda Joe à papa.

– Conseil top secret pour une agence de sécurité high-tech. Si vous voyiez leur matériel ! Des motos qui feraient honte aux vôtres. Avec tout ce que vous avez déjà, plus des caméras vidéo intégrées au guidon ; des phares spéciaux pour la vision nocturne ; des roues en alliage léger, increvables.

– Arrête, fit Joe. Ou je vais me mettre à baver.

– Il faut qu'on aille chercher nos bécanes, glissai-je. On a dû les abandonner dans le désert, et Stench les a trouvées. Va savoir ce qu'il leur a fait.

– On va devoir rentrer en hélico, soupira Joe. Dire que j'avais choisi une super escale pour le retour : un numéro de sirènes ! Ça doit être génial.

– À propos, dit papa, j'allais oublier : j'ai eu droit à un bonus pour récompenser le bon boulot que j'ai accompli.

« Oh, bon sang ! Décide-toi à cracher le morceau, papa ! » implorai-je en silence.

– Deux prototypes des nouveaux modèles de moto. Avec le plein d'essence. Ils sont dans l'hélicoptère, lâcha papa.

J'échangeai un regard avec Joe, et nous hurlâmes en chœur :

– Ouaiiiiis ! Génial ! De la route ! On va encore s'éclater !

FIN

Impression réalisée par

La Flèche

en novembre 2008

Imprimé en France
N° d'impression : 50028